MR PERFFAITH

Cardiff Libraries
www.cardiff.gov.uk/libraries
Llyfrgelloedd Caerdydd
www.caerdydd.gov.uk/llyfrgelloedd

ACC. No: 02897217

Mr Perffaith

.... JOANNA DAVIES ....

Gomer

Dymuna'r awdur gydnabod a diolch i
Lenyddiaeth Cymru am ddyfarnu
Ysgoloriaeth i Awduron iddi i'w galluogi
i gwblhau'r nofel hon.

Cyhoeddwyd yn 2011 gan
Wasg Gomer, Llandysul, Ceredigion SA44 4JL
www.gomer.co.uk

ISBN 978 1 84851 352 5

Hawlfraint © Joanna Davies 2011 ⓗ

Mae Joanna Davies wedi datgan ei hawl dan
Ddeddf Hawlfreintiau, Dyluniadau a Phatentau 1988
i gael ei chydnabod fel awdur y llyfr hwn.

Cedwir pob hawl. Ni chaniateir atgynhyrchu
unrhyw ran o'r cyhoeddiad hwn, na'i gadw mewn
cyfundrefn adferadwy, na'i drosglwyddo mewn
unrhyw ddull na thrwy unrhyw gyfrwng, electronig,
electrostatig, tâp magnetig, mecanyddol, ffotogopïo,
recordio, nac fel arall, heb ganiatâd ymlaen llaw
gan y cyhoeddwyr.

Dymuna'r cyhoeddwyr gydnabod cymorth
Cyngor Llyfrau Cymru.

Argraffwyd a rhwymwyd yng Nghymru gan
Wasg Gomer, Llandysul, Ceredigion.

I Steve,
fy ngŵr

Diolch i Elinor Wyn Reynolds, fy ngolygydd, am ei chefnogaeth a'i sylwadau adeiladol. Diolch i bawb yng Ngwasg Gomer am eu cymorth, ac i'm ffrindiau, Clare Pompa a Sara Jones, am eu brwdfrydedd dros y stori. Diolch hefyd i gefnogwyr *Ffreshars* a *Freshers*; gobeithio y byddwch chi'n mwynhau'r gyfrol hon yn ogystal.

www.mrperffaith.co.uk

Prolog

Mari: Heddiw
Dỳds neu Stỳds?

Ydyn ni'n dewis ffawd, neu ydi ffawd yn ein dewis ni? Ydy'r dyn perffaith allan yna'n aros amdanon ni i'w fachu fel pysgodyn disglair anhygoel yn nyfnderoedd pyllau bywyd? Neu a ydyn ni'n dibynnu ar ffeindio creadur truenus sy'n ddigon addas at bwrpas o fewn daearyddiaeth gyfyng ein milltir sgwâr?

Beth os yw'r dyn lledrithiol hwnnw sydd â llygaid melfed George Clooney, bochau Johnny Depp, gwên a chorff Brad Pitt (y corff sydd gyda fe'n y ffilm *Fight Club* lle mae'n gwisgo hen *dressing gown* afiach), ac agwedd Christian Slater yn *Heathers* oddeutu 1988, yn byw yn Siapan neu Tahiti? Falle na fyddwn yn ei gyfarfod byth yn ein bywydau. Beth wnawn ni wedyn? Wrth fynd ar y bws, neu yn y car, neu wrth gerdded y stryd, mae'r rhai sengl yn ein plith yn magu'r ffantasi ramantaidd ein bod, efallai, yn cerdded neu'n gyrru heibio iddo – yr un – ar y funud honno ac y byddwn, yn fuan, yn ei gyfarfod mewn sefyllfa *meet cute* gwbl addas fel yn ffilmiau *screwball comedy* Hollywood y 1930au.

Falle byddwch chi'n stỳc mewn lifft gyda'ch gilydd, falle bydd e'n eich achub pan mae rhywun yn dwyn eich bag llaw yn y dre. Neu falle byddwch chi'ch dau mewn parti a bydd e'n tywallt ei ddiod yn ddamweiniol dros eich ffrog orau. Beth petaech chi'n ei fwrw'n fflat oddi ar ei feic tra byddwch chi'n gyrru, ac yna'n syrthio mewn cariad ag e yn y llys wrth iddo fe eich siwio chi am yrru'n beryglus . . . Neu'n fwy tebygol, byddwch yn ei gyfarfod mewn bar lleol ar ddiwedd y noson, pan fyddwch chi, fel dynes ddéspret mewn sêl Topshop sy'n benderfynol o gael rhywbeth i'w wisgo ar gyfer y parti, yn barod i fynd ag unrhyw beth adre – unrhyw beth yn hytrach na gadael yn waglaw heb ddim byd ond tships o'r têc-awê lleol!

Ydyn ni'n setlo am ail ore, neu ydy ffawd mor blydi gwych fel ei fod e'n medru ffeindio'r dyn iawn i ni ar stepen ein drws? A beth am y rhai a dihangodd o grafangau eich serch? Oedden nhw wir yn Dŷds neu – a dyma i chi bosibilrwydd brawychus – oedden nhw'n Stŷds?

Nawr dwi'n 33 oed, bron â chyrraedd fy *prime*, chwedl Miss Jean Brodie, mae'n bryd i mi beidio â breuddwydio am y dyn perffaith, y marchog golygus a'i geffyl mawr gwyn, yr ystrydeb chwerthinllyd Barbara Cartland-aidd, Jane Austen-aidd, Bridget Jones-aidd sydd, yn fy marn i, yn dal i lenwi dychymyg hyd yn oed y ffeminist mwyaf pybyr. Ond mae'r cymeriad hwn fel y llewpart eira, yn greadur prin a dirgel.

Wrth eistedd o flaen fy nesg fach flêr yn y swyddfa yn ffugio sgrifennu dogfen i werthu cyfres deledu hamdden newydd, *Tŷ a Gardd*, a synfyfyrio am y ffaith fy mod yn ei gweld hi'n anodd i aros mewn unrhyw berthynas yn hirach na dwy flynedd – dwi'n rhy ddiamynedd i aros i gael y *Seven Year Itch*, 'chweld – dof i'r casgliad falle mai fi sydd ar fai ac nid nhw.

Fi gyda nyheadau ffôl, afreal, rhamantaidd a wreiddiodd yn fy ymennydd a nghalon flynyddoedd yn ôl wedi gwylio gormod o *Gone With The Wind, The Princess Bride* a *Dirty Dancing* yn fy arddegau.

Mae'n rhaid i mi gofio nad yw dynion go iawn yn ymddwyn fel Laurence Olivier yn portreadu'r Arglwydd Nelson yn *That Hamilton Woman* (1940); ffantasi'r awdur yw'r geiriau hudol mae'n eu hynganu wrth ei wraig mewn bywyd go iawn, yr anfarwol Vivien Leigh, sydd yn anterth ei phrydferthwch fel Lady Hamilton, wrth ei chusanu am hanner nos ar Nos Galan 1799: 'Fy anwylyd, nawr rwy wedi dy garu di drwy ddwy ganrif . . .'

Ffantasi hefyd yw geiriau Gary Oldman yn Draciwla rhywiol yn sibrwd yng nghlust Winona, 'Dwi 'di croesi moroedd amser i'th gyfarfod di'. Ac ni fydd Patrick Swayze yn strytio i fyny ataf yn ei ledr du i ynganu'r geiriau anfarwol, 'No-one puts baby in the corner . . .'

Mae'n hen bryd i mi, Mari Wyn Roberts, dyfu lan, a stopio chwilio am y 'Dyn Perffaith'. Oherwydd falle, jyst falle, ei fod e wedi bod yn eistedd o dan fy nhrwyn yr holl amser ar ôl pymtheg mlynedd o chwilota ymroddedig! Oni fyddai hynny'n drasiedi ac yn gomedi?

Owen: Heddiw

Pam orffennes i 'da Lleucu? O'dd hi'n berffaith i fi . . . Ocê, o'dd hi'n *psycho* ac roedd hi fel twrci'n aros i gael ei stwffio'n y gwely – dim lot o *go* ynddi hi . . . Ife hi o'dd y gore gallen i gael, fel wedodd Lleucu ei hunan wrtho i pan wnes i orffen 'da hi? Dries i ngore i'w chael hi i orffen 'da fi, ond withodd hwnna ddim. Dries i anwybyddu'i thecsts diddiwedd, y *pokes* annioddefol ar Facebook, y pledio di-baid i ni fynd ar wylie i Fenis 'da'n gilydd . . . Dries i bopeth i wneud iddi ddeall nad oedd dyfodol i ni, bo ni ddim yn siwtio'n gilydd go iawn . . . Ond o'dd hi fel cleren wedi stico mewn jam – do'dd dim symud arni nes i fi alw'r heddlu i'w sortio hi mas.

Beth wy isie yw merch sydd ag wyneb a chorff Kelly Brook, hiwmor Dawn French a *brains* Carol Voderman. Ody hynny'n ormod i ofyn?

Dwi'n dechre mynd yn déspret. Wy wedi meddwl rhoi'n fanylion i lawr ar Pishyn.com, ond wedyn byddai pawb yn gw'bod mod i'n déspret, a mwy na thebyg bydden i wedi bod off gyda nhw o'r blaen eniwe, achos mae Cymru mor fach. Wy'n dri deg tair blwydd oed, er mwyn dyn, a hyd yn oed os wy'n gweud hynny'n hunan, wy'n lico meddwl bo' fi'n saith mas o ddeg yn y *looks department*, smo fi'n ffôl, wyth gyda 'bach o waith. Sdim plant 'da fi, fflat neis yn y Bae – beth arall ma nhw moyn? Wy'n sensitif (weithiau), yn briliant am whare'r gitâr, mae 'da fi radd a swydd ocê. Be mwy sy isie arnyn nhw?

O'n i wastad yn meddwl bydden i wedi ffindo rhywun

erbyn hyn. Yn *sorted.* Mae troi'n dri deg ac ffidlan ambiti mewn clybiau swnllyd fel *saddo* yn rili *pathetic.* Sdim byd yn waeth na hen ddynion canol oed yn slobran ar ôl merched ifanc yn eu harddegau, o's e? Man a man i fi dyfu *comb-over,* gwisgo Old Spice a *medallion.* Wy dal i fod yn *player.* Sa i isie bod yn un o'r *twats* 'na o'n i a Huw arfer chwerthin ar eu pennau nhw ar nos Sadwrn.

A sa i'n bedwar deg eto – ma digon o amser 'da fi i siopa rownd. Wy ddim isie merch *clingy,* a ma hi'n gorffod bod yn *fit;* rhaid iddi fod yn glyfar (ond ddim yn fwy clyfar na fi, jyst bod gradd 'da hi). Mae'n gorffod siarad Cymraeg ac mae'n rhaid iddi fod o dan dri deg pump. Ma hwn tamed bach fel tyse fi yn *Weird Science* yn trio creu'r ferch berffaith ar gyfrifiadur – trueni se hynny'n bosibl, achos bydde fe'n llawer haws.

Wnes i'r peth iawn yn gadael Lleucu? Wedi'r cwbl, roedd hi'n 'safe pair of glands' fel bydde Huw yn 'i ddweud. Ond mae'n rhaid i fi drio peidio edrych yn ôl ar y berthynas a'i gwneud yn well nag oedd hi, osgoi defnyddio'r 'rose tinted spectacles'. Dim ond gwella all pethe neud, sbo, ac os nag ydw i'n chwilio'n rhy galed am yr 'un', yna bydd hi bownd o ymddangos o dan fy nhrwyn i, yn gwmws fel yn y *films* . . .

Pennod 1

Mari: Mr Cŵl, Y Crysh Cyntaf
1992

Cerddodd y ferch ddeunaw oed brydferth i lawr y coridor yn llawn hyder – roedd hi'n eithriadol o brydferth, yn dal ac urddasol, ei gwallt tonnog aur yn llifo i lawr ei chefn, ei choesau siapus brown mewn siorts cwta, a'i llygaid gwyrddlas yn denu pawb i edrych arni'r eildro'n gegagored. Agorodd ei locyr i gasglu ei llyfrau ysgol a neidiodd wrth iddi deimlo llaw yn gwasgu ei bron yn herfeiddiol. 'Dylan!' gwichiodd gan chwerthin yn braf, yna'i gofleidio a'i gusanu'n nwydwyllt gyda'r plant eraill yn syllu arnynt mewn rhyfeddod.

Diffoddodd Mari'r teledu'n ddiamynedd. Roedd *Beverly Hills 90210* yn rili anaeddfed, a'r prif gymeriadau oedd i fod yn eu harddegau yn edrych yn hŷn na'i mam a'i thad, er mwyn dyn! Roedd yn rhaid iddi stopio gwylio'r fath rwtsh. A pheth bynnag, roedd ganddi barti penblwydd deunaw oed i baratoi ar ei gyfer heno.

Roedd Mari wedi bod yn edrych ymlaen at y parti ers misoedd, a hynny am un rheswm. James Rees. Neu J.R. fel byddai pawb yn yr ysgol yn ei alw. Llenwai J.R. ei meddyliau ddydd a nos. Yn 16 oed, J.R. oedd *catch* yr ysgol. Fel slywen fedrus, roedd wedi osgoi perthynas o unrhyw werth gyda neb yn yr ysgol, ac o ganlyniad roedd ei 'argaeledd' yn annog Mari i roi'r brif ran iddo yn ei ffantasïau rhamantaidd. Byddai James yn sicr yn y parti gan mai ei chwaer hŷn, Lowri, oedd yn dathlu ei deunaw oed yn y clwb rygbi ym Mhontyberem. Cafodd Mari, fel aelodau eraill o'r pumed dosbarth, wahoddiad i beth fyddai ei pharti deunaw cyntaf.

Gobeithiai gael cyfle am ddawns gyda James heno; un ddawns, dyna i gyd, un ddawns yn ei freichiau cryfion. Dotiai Mari at ei lygaid gwyrdd, ei wallt sidanaidd tywyll a'i gorff cyhyrog, cadarn. *God*! Roedd J.R. yn lysh! J.R. oedd arwr y tîm rygbi, ac un o sêr academaidd yr ysgol hefyd. Roedd pawb yn hoffi J.R. *Strapline* trêl ei gymeriad mewn ffilm fyddai: 'Roedd y bechgyn eisiau bod yn J.R. ac roedd y merched eisiau J.R.'

Mae un o'r creaduriaid lledrithiol hyn ymhob ysgol, am wn i. Yr iwnicorn chwedlonol ymhlith y defaid, yr un sy'n edrych yn cŵl beth bynnag sy'n digwydd, yr un sy'n sefyll allan ymhlith y dorf llawn plorod, chwys a *mullets*; y 'dyn perffaith'. Ond doedd Mari ddim yn berffaith . . .

Ers ei diwrnod cyntaf yn yr ysgol uwchradd, gwyddai Mari ei bod yn wahanol i'r merched eraill. Câi ei gweld yn *nerdy*, yn *swot* neu'n ecsentrig, ond gobeithiai ei bod yn atyniadol yn ei ffordd ei hun er gwaetha hyn. Gobeithiai ei bod hi'n debyg i gymeriad Winona Ryder yn ei hoff ffilm, *Heathers*, lle roedd Winona a Christian Slater yn llofruddio rhai o'u cyd-ddisgyblion mwyaf afiach yn yr ysgol. Gwyddai ei bod hi'n sensitif ac y medrai gynnig mwy i fachgen fel James na'r holl bimbos eraill. Er mwyn bod yn debycach i gymeriad Winona yn y ffilm, roedd Mari hyd yn oed wedi prynu *monocle* o Vision Express er mwyn gwneud iddi'i hun edrych yn fwy 'ddiddorol' ac 'ecsentrig' fyth. A deuai'r *monocle* allan pan fyddai'n canu yng nghôr yr ysgol, er mawr ddiogfaint i'w hathro cerdd angherddorol ac efengylaidd, Matthew Luc. Ie, y parti pen-blwydd fyddai'r cyfle perffaith i ddangos i J.R. bod ei fenyw ddelfrydol wedi bod yn aros fel pryfyn mewn *chrysalis* i drawsffurfio'n bilipala rhywiol o'i flaen.

Edrychodd ar y cloc; roedd hi'n bump o'r gloch yn barod a byddai Sara, ei ffrind gorau, yn ei chasglu ymhen dwy awr. Roedd mam Sara'n *chauffeur* arbennig o garedig iddynt ill dwy. Doedd mam Mari ddim yn hoff o'r ffaith bod ei merch yn mynychu gigs a phartïon, ac felly roedd hi'n gyndyn iawn i roi lifft iddi i unrhyw le – heblaw am y teithiau niferus i wersi canu, adrodd, piano, telyn a cherdd dant.

'Stico at 'neud dy waith ysgol ti i fod i neud yr oedran 'ma, Miss. Dim mynd mas i whilibowan 'da cryts,' oedd byrdwn parhaus ei mam pan fyddai Mari'n cael lifft allgyrsiol achlysurol ganddi. Diolch byth nad oedd Sara'n malio nac yn sylwi ar y ffaith bod mam Mari wedi cael gwersi gan Atilla the Hun ar sut i fod yn rhiant. Er hynny, gwridai Mari hyd fôn ei chlustiau pan fyddai ei mam yn ei hwyliau ac yn pregethu wrth lyw'r car.

Enghraifft glasurol o niwrosis ei mam oedd pan drodd Mari'n un ar bymtheg oed, sef carreg filltir beryglus ar daith datblygiad rhywiol merch, yn nhŷb ei mam; gorchmynnodd i Mari ddod i'w hystafell wely 'am sgwrs'.

'Ma 'da fi rywbeth i ddangos i ti,' dywedodd ei mam gan dynnu hen siôl babi allan o'r drôr o dan ei gwely.

Daliodd Mari ei hanadl. Wedi'u lapio yn y siôl roedd hen staplau metel, miniog. Syllodd Mari'n ddi-ddeall arnynt. Meddyliodd y byddai ei mam yn rhoi'r hen freichled aur oedd ganddi o dan glo yn ei bocs gemwaith fel anrheg iddi – nid y casgliad hyll hwn o staplau rhydlyd.

'Beth yw'r rhain, Mam?'

'Dyma, merch i, beth ddefnyddiodd y doctor i ddala'n stumog i'n sownd ar ôl i ti gael dy eni.'

Rhwng 1965 a 1970, roedd Mrs Roberts wedi esgor ar ddau o blant yn weddol ddidrafferth, ond yn 1973 pan ddaeth hi'n amser i Mari frwydro'i ffordd trwy ganal bywyd i'r byd, bu'n rhaid i'w mam flinedig wynebu nifer o anawsterau, a'r rheiny'n arwain at lawdriniaeth Caesarean waedlyd.

'Os wyt ti'n ffansïo cael crwt yn whilibowan â ti, cofia am rein, a beth all ddigwydd os cei di dy demtio, merch i. Dim ond un peth ma nhw moyn, a wedan nhw unrhyw beth er mwyn 'i ga'l e. Smo neb yn rhoi caws i lygoden ar ôl ei dala hi, cofia di 'na!'

Syllai llygaid bach miniog ei mam i fyw ei llygaid hithau wrth iddi ddal y staplau creulon o dan ei thrwyn.

'Chance would be a fine thing!' meddyliodd Mari. Doedd hi ddim wedi cael ei chusan gyntaf eto, heb sôn am unrhyw beth arall! Pwy oedd ei mam yn meddwl oedd hi? Beth bynnag, roedd diddordebau allgyrsiol eisteddfodol Mari'n 'kiss of death' i fechgyn yr ysgol oedd naill ai'n ei thrin fel ffrind, fel *freak* neu'n ei hanwybyddu'n gyfan gwbl wrth iddyn nhw snogio'r merched mwy confensiynol bert yn yr ystafell gotiau bob amser cinio. 'Chance *would* be a fine thing.'

A bellach roedd y staplau'n ôl yn nrôr ei mam fel arteffactau yn yr Amgueddfa Ddu, ond seriwyd hwy ar ei chof, a doedd hi byth, BYTH eisiau cael babi. Roedd y syniad o gael rhywbeth byw arall yn egino ac yn prifio'n dawel yn ei bol am naw mis yn debyg i rywbeth allan o *Alien*, ym marn Mari. A doedd hi ddim yn cysyllu'r dyhead rhywiol oedd yn chwarae yn ei stumog pan welai James Rees yn swagro i lawr y coridorau â hen reddf y ddynoliaeth i genhedlu.

Roedd hi'n rhyfedd fod gan ei mam gymaint o *hang-ups* rhywiol, o gofio bod ganddi dri o blant, meddyliai Mari weithiau. Pan fyddai 'pyrcs' ar y teledu byddai tawelwch tew yn y lolfa gyda'r *tumbleweed*, hyd yn oed, yn rhuthro i guddio tu ôl i'r soffa mewn embaras. Roedd tad Mari wrth ei fodd gyda'r digrifwr smyti, Benny Hill, ar y bocs. *Raison d'être* Benny oedd cwrso merched hanner noeth ar y sgrin fach, ond byddai ei mam yn tytian o dan ei hanadl ac yn dweud 'Jim! Ma *Dechre Canu, Dechre Canmol* mla'n nawr, tro fe drosto!' A phan ddechreuon nhw wylio *The Graduate* yn ddiweddar, bu bron i'w mam gael ffit biws pan ddaeth y *showgirl* noeth ar y sgrin yn gwisgo *tassels* am ei nipyls a'u chwifio dros bob man. 'Jim! Er mwyn dyn! Mae angen gwaedu'r *radiators*!' gorchmynnodd ei mam yn chwyrn gan newid y sianel yn syth.

Eniwe, cafodd Mari ganiatâd ei mam i fynd i'r parti heno, ar ôl trafodaeth hir a ymdebygai i gyfarfod aelodau'r U.N. o ran diplomyddiaeth. Addawodd mam Sara y byddai'n casglu'r merched am un ar ddeg ar y dot ac y bydden nhw adref cyn hanner nos. Fyddai dim alcohol ar gael i unrhyw un o dan ddeunaw, wrth gwrs, gan mai tad J.R. fyddai wrth y bar. Ond doedd Mrs Roberts ddim yn gwybod bod gan Sara stash o win Thunderbird yn ei bag a brynwyd o'r siop gornel leol yn barod ar gyfer y noson.

'Gewn ni gwpwl o swigs o'r gwin cyn mynd miwn,' sibrydodd Sara'n uchel wrthi yn y dosbarth drama y pnawn hwnnw. 'A gofyn am lemonêd o'r bar a'i gymysgu fe 'da'r gwin yn y toilets. Fydd neb damed callach!'

Edrychodd Mari'n falch ar ei hadlewyrchiad yn y drych. Roedd y ffrog a brynodd hi o siop dillad *vintage* Winkys ar drip siopa diweddar gyda Sara yn Abertawe yn gweddu i'r dim iddi; du, lês a chwta, perffaith. Gwisgai ei Doc Martens coch newydd a theits du dramatig. Dewisodd goluro'n gynnil, rhag i'w mam gael ffit, ond gallai ychwanegu mwy o *eyeliner* a minlliw yn y car yn nes ymlaen. Canai Madonna ei hoff gân o'i chwaraewr casetiau, 'Crazy For You'. Gobeithiai mai'r gân hon fyddai'r 'ddawns olaf' iddi hi a J.R. ar ddiwedd y nos.

Bellach, roedd hi'n tynnu am saith o'r gloch a chlywodd gorn car mam Sara yn canu ffanffêr i gychwyn yr hyn fyddai'n noson i'w chofio, yn ddi-os.

'Cofia bod 'nôl cyn hanner nos!' gwaeddodd ei mam arni o'r lolfa, wrth iddi wibio allan o'r drws fel corwynt.

'Iawn, Mam, chi 'di gweud droeon!'

'A phaid ag yfed dim alcohol! Bydda i'n aros lan i wneud yn siŵr dy fod ti'n sobor!'

'Iawn! Ta-ra!'

Anghofiodd Mari am ei mam a'i rhybuddion cyn gynted ag y neidiodd i gefn car moethus mam Sara. Eisteddai Sara wrth ei hochr, yn llawn cynnwrf fel hithau. Edrychodd Mari ar Sara heb ddim pripsyn o eiddigedd. Un o'r merched lwcus yna oedd Sara, y math o ferch oedd y dynion i gyd yn ei ffansïo – bychan, bronnog, gyda *sex appeal* Catherine Zeta Jones *Darling Buds of May*-aidd. Dafydd Jones o'r Chweched oedd cariad Sara; roedd e'n gwella o anaf rygbi ac yn methu dod i'r parti'r noson honno. Diolch byth, meddyliai Mari, byddai Sara'n gwmni iddi trwy'r nos nes iddi gael ei chrafangau ar J.R. . . .

'Ma'r ffrog 'na'n edrych yn cŵl arnat ti,' meddai Sara wrth syllu ar wisg Mari fel meddyg fforensig.

'Dim mor neis â d'un di!' atebodd Mari gan edrych yn edmygus ar ffrog fini goch newydd Sara.

'Dwi ddim yn gw'bod pam y'ch chi ferched yn gwastraffu'ch arian ar hen ddillad o'r 60au,' chwarddodd mam Sara. 'Mae gen i ddigonedd o stwff allech chi 'i gael am ddim yn yr atig!'

'Ma nhw'n drewi o *mothballs,* Mam!'

'Well na drewi o chwys, fel y carpiau yna sy 'da chi!' atebodd Mrs Lewis yn llon.

Pwniodd Sara Mari yn ei hystlys gan ddangos cynnwys ei bag llaw mawr iddi'n slei. Yno, fel y Greal Aur, winciai'r botel o Thunderbird arni o'r düwch. Agorodd Mari ei bag hithau'n ofalus gan ddangos y pecyn o Marlboro Reds a guddiai'n swil yno. Chwarddodd y ddwy'n ddireidus hapus gyda'i gilydd.

'Chi'ch dwy wedi weindio heno!' oedd ymateb Mrs Lewis gan fwynhau'r giglan, yn hollol ddiniwed i'r holl gynllwynio oedd yn digwydd yn y sedd gefn. 'Cofiwch fihafio'ch hunain a bod yn barod i adael y parti ar amser. Bydda i yno am un ar ddeg ar y dot. Dwi ddim isie digio dy fam, Mari!'

'Olreit, Mam,' ochneidiodd Sara'n anfodlon. 'Byddwn ni fel dwy Sinderela stiwpid yn gadael cyn hanner nos. Ma pawb arall yn cael aros hyd y diwedd.'

'Paid â swnian. Un ar bymtheg oed y'ch chi, ac mae un ar ddeg yn hen ddigon hwyr. Os glywa i fwy o swnian, bydda i yno am ddeg!'

'Ocê, Mam! Un ar ddeg amdani!'

'Diolch am y lifft, Mrs Lewis.'

'Dim problem, Mari. Dwi'n gobeithio, pan fydda i'n hen ac yn eiddil, bydd madam fan hyn yn rhoi lifft neu ddau i fi pan fydda i angen!'

'Ha! *No way*, bydd nyrsys cartre'r hen bobol yn gallu gwneud hynny i chi, Mam!' chwarddodd Sara, ac ymunodd Mrs Lewis yn y chwerthin.

Roedd Mari'n eiddigeddus o'r berthynas hawdd, ffwrdd-â-hi, oedd rhwng Sara a'i mam. Roedd Mrs Lewis yn cŵl, wedi bod yn y Brifysgol yn yr 1960au ac yn rhoi mwy na digon o benryddid i'w merch – yn wahanol iawn i'w mam hi oedd yn llawn rhagfarnau ac ofnau.

'Reit, dyma ni.' Arafodd y car wrth iddynt gyrraedd y Clwb Rygbi.

Roedd nifer o bobl ifanc eraill yn cyrraedd 'run pryd â nhw. Edrychodd Mari o'i chwmpas yn awyddus, roedd hi ar biniau'n gobeithio gweld J.R. ymhlith y rhai oedd newydd gyrraedd. Ond doedd dim golwg ohono.

'Lle mae J.R?' holodd hi Sara'n betrus. Doedd hi ddim isie ymddangos yn rhy awyddus, ond doedd dim pwrpas peidio â gofyn chwaith.

'Rhaid ei fod e wedi cyrraedd yn barod. Wedi'r cwbl, parti'i wha'r e yw hwn! Nawr, Mari, tria fod yn cŵl, er mwyn dyn. Sdim byd gwaeth na merch déspret, ti'n gw'bod. Maen nhw'n gallu gwynto *desperation* o bell!'

'Ocê, ocê. Wna i ddim siarad 'da fe tan hanner awr wedi wyth!'

'Ie, gad i awr fynd heibio, o leia. Byddi di 'di cael tamed o *Dutch Courage* erbyn hynny!' Tynnodd Sara hi i gyfeiriad y bar.

Roedd y Clwb Rygbi'n eitha llawn yn barod a baneri '18' a balŵns amryliw ymhobman. Chwareai DJ corni canol oed y recordiau yn y gornel ac roedd Lowri, y 'birthday girl', yn cyfarch pawb yn llawen wrth y drws. Teimlai Mari y blew mân yn codi ar ei gwar wrth iddi sefyll ger y bar. Synhwyrodd ei fod 'e' gerllaw. Trodd ei phen ryw fymryn, ac o gornel ei llygaid gwelodd J.R. yn helpu'i dad i gario bocsys o gwrw y tu ôl i'r bar. Wel roedd hi'n amlwg na fyddai'r parti hwn yn 'sych', meddyliodd Mari'n falch. Wedi'r cwbl, parti deunaw oed oedd e i fod.

God! Edrychai J.R. yn anhygoel! Gwisgai grys-T a ddangosai ei gyhyrau i'r dim, a jîns 501 tyn am ei goesau hirion. Roedd ei wallt yn dal yn wlyb ar ôl cawod, sylwodd Mari wrth syllu arno'n llawn cariad, a'r wên hudolus yn fwy pwerus nag erioed. Roedd yn deimlad rhyfedd ei weld y tu allan i sefyllfa ysgol, a mas o'i wisg arferol roedd yn llai 'real', rhywsut . . . Gwyliodd Mari ef yn cerdded tuag at ei chwaer. Petai hon yn olygfa mewn ffilm, y trac sain fyddai 'Take My Breath Away' gan Berlin; cawslyd ond clasurol . . .

'Stopa edrych arno fe 'nei di!' Pwniodd Sara hi'n ei hochr. 'Paid â bod mor fflipin amlwg!'

Rhwygodd Mari ei llygaid awchus oddi ar y duw rhyw a throi'i golygon yn anfodlon yn ôl at ei ffrind.

'Reit 'te ferched,' cyhoeddodd tad J.R. yn rhadlon. 'Lemonêd, sudd oren neu Coke?'

'W! O'n i'n gobeithio cael gwydred bach o win, Mr Rees! Neu chydig o siampên gan ein bod yn dathlu achlysur arbennig,' mentrodd Sara gan wincio arno'n slei. Roedd Sara'n anhygoel, yn fflyrtio gyda dyn yn ei oed a'i amser fel Mr Rees! Doedd dim cywilydd yn agos i'w chroen, ac edmygai Mari hi am hynny.

'Nawr te, Sara, dwi'n gwybod yn iawn taw un ar bymtheg oed y'ch chi. Os y'ch chi'n ferched da, falle gewch chi shandi bach yn nes mlaen!'

'Dau lemonêd te, plis, Mr Rees,' oedd ateb Sara gan ffugio siom. Wrth iddynt gario'u gwydrau i'r tŷ bach, trodd Sara at Mari a dweud, 'Wel, alla i weld o ble ma J.R. yn ca'l ei *looks*! Mae Mr Rees yn rial pishyn!'

'Sara! Mae e'n lot rhy hen i ti! Ac yn briod!'

'So? Ma Dafydd yn *boring* braidd gyda'i obsesiwn am rygbi. Dwi wastad wedi ffansïo cael rhyw gyda dyn profiadol fel Mr Rees!'

'Sara!' Roedd llygaid Mari ar fin tasgu mas o'i phen. 'Na fydde ofon arnat ti?'

'Yr un *equipment* sy 'da nhw i gyd, Mari, 'na beth ma Mam yn gweud, ta beth!' Gwasgodd y ddwy eu ffordd mewn i giwbicl y toiled gyda'i gilydd. Tynnodd Sara y botel Thunderbird allan o'i bag a thywallt y gwin cryf, sicli i mewn i'r gwydrau lemonêd.

Dyna'r prif wahaniaeth rhyngddi hi a Sara, meddyliodd Mari. Roedd Sara eisoes yn brofiadol yn rhywiol. Roedd wedi colli ei gwyryfdod yn bymtheg oed i Dafydd, arwr y cae rygbi, ac roedd wedi cael ambell ffling arall pan oedd ar wyliau dramor gyda'i rhieni. Ac yn ôl Sara, roedd rhyw yn ddigon pleserus, unwaith i chi dderbyn y boen ar y cychwyn, a dod dros y sioc fod pidyn yn bihafio fel creadur annibynnol i'w feistr.

Aeth hanner awr wedi wyth heibio ac eisteddai Sara a Mari wrth y bwrdd bwffe'n gwylio'u cyd-ddisgyblion yn rhochian a glafoerio dros y selsig bychan, y *mini pizzas* a'r *vol-au-vents*. Cododd yr ysfa yn llwnc Mari nes bron a'i thagu o'r tu mewn, roedd hi bron â thorri'i bol isie mynd i siarad â James, ond roedd ei ffrindiau'n dal i fod o'i amgylch yn griw mawr.

'Sara!' sibrydodd yn ddramatig uchel wrth ei ffrind. 'Mae'n naw o'r gloch!'

'Ie, a . . ?' Roedd Sara'n brysur yn gwneud llygaid pert ar un o fechgyn y Chweched, a hwnnw'n gwrido wrth ymateb iddi.

'Dwi bron â marw isie siarad 'da James! Ond dyw e byth ar ei ben ei hunan!'

'Gronda. Arhosa damed eto nes bod pawb yn mynd i ddawnsio, ac wedyn gallwn ni fynd i sefyll wrth ei ochr e ac fe wna i ei dynnu fe i ddawnsio gyda ni.'

'Pwy help fydd hynny?' mewiodd Mari. 'Bydd e jyst yn dechrau dawnsio 'da ti wedyn!'

'Na, na, *duh*!' dywedodd Sara gan wneud siapau gyda'i cheg. 'Bydda i erbyn hynny, Mrs Twpsen, yn dawnsio gyda Rhys o'r Chweched!'

'Ond beth am Dafydd?'

'Wy'n ca'l dawnsio 'da bachgen arall, Mari. Dyw Daf a fi ddim yn briod, ti'n gw'bod, ac mae Rhys yn ciwt!'

'Ocê.' Teimlai Mari'n fwy gobeithiol erbyn hyn, gan fod Sara bob amser yn cael ei ffordd gyda dynion.

'Nawr, ma isie ti ymlacio tipyn cyn mynd ato fe. Amser am Thunderbird bach arall, weden i!'

Tywalltodd Sara bob o wydryn llawn iddynt o dan y bwrdd. Erbyn hyn roedd pawb, hyd yn oed y rhai dan ddeunaw, yn edrych yn eitha meddw ac felly sylwodd neb ar gastiau'r ddwy. Taniodd Sara sigarét yn soffistigedig, a syllodd Mari arni mewn anghred iniaeth.

'Sara! Paid!'

'Beth yw'r broblem?' Edrychodd Sara arni â'i llygaid mawr, diniwed a chwythu cwmwl mwg o'i chwmpas. 'Dim ond tad J.R. sy 'ma ac mae e'n smoco hefyd!

Y'n ni yn un deg chwech, ti'n gw'bod, digon hen i wneud lot o bethe!' Crechwenodd yn awgrymog cyn clecio'i gwin.

'Reit, cer i ofyn i'r DJ am gân rili dda,' gorchmynodd Sara.

'Fel beth?'

'Rhywbeth fydd pawb isie dawnsio iddi, wrth gwrs, er mwyn i ni gael dechrau ar dy gynllun i hudo J.R.!'

Cerddodd Mari'n sigledig at y DJ, a gofyn yn gwrtais, 'Allwch chi chwarae "Crazy for You" gan Madonna, plis?'

'E? Sa i'n gallu clywed chi, bach,' gwaeddodd y DJ oedd yn berchen ar 'tash mawr fel seren *porn* o'r 70'au.

'"Crazy for You" gan Madonna?'

'Sori, smo hwnna 'da fi, bach. Beth am damed o Abba?' Pwysodd y DJ ati draw a gweiddi, gan boeri dros ei hwyneb wrth ymdrechu i gael ei glywed uwchlaw'r disgo dwrw.

Damo! Dyna chwalu ei ffantasi o ddawnsio gyda James i 'Crazy for You' yn ddarnau mân. Cerddodd Mari'n bwdlyd yn ôl tuag at Sara. Pwy fyddai eisiau dawnsio i Abba? Ond, er syndod i Mari, pan ddechreuodd alaw gyfarwydd 'Dancing Queen' dreiddio trwy'r clwb, cododd pawb ar eu traed fel un i ddawnsio. *Result*!

'Dewis da, Mari!' Winciodd Sara arni a'i llusgo i gyfeiriad James.

Dechreuodd Mari grynu â phob cam wrth iddynt agosáu ato.

'Dwi ddim isie, Sara!' Camodd Mari'n ôl gan dynnu'n daer ar lawes ei ffrind. Ond doedd Sara ddim yn gallu clywed gair.

Cyn i Mari fedru dianc, roedd Sara'n tynnu James

tuag ati ac roedd yntau'n ei dilyn yn eitha ufudd. Winciodd Sara a gosod James o'i blaen fel ci balch gyda darn o bren. Ac yn driw i'w gair, diflannodd Sara i gyfeiriad Rhys o'r Chweched. Gwenodd James ar Mari wrth ddawnsio yn ei hymyl. Gwenodd Mari'n ôl yn lletchwith. *Shit*! Trueni bod ei sgiliau dawnsio mor *crap*, ond roedd hi'n cael gwireddu ei breuddwyd o'r diwedd. Roedd James yn amlwg yn ddigon hapus i gydio ynddi, ar y llawr dawns a diolch i bwerau hud y Thunderbird teimlai Mari'n ddigon eofn i afael ynddo yntau hefyd.

'Ti'n edrych yn bert iawn heno, Mari,' murmurodd James.

'Yyy . . . Diolch . . . a . . . a ti.' *God*! Roedd Mari'n methu credu ei bod wedi dweud y fath beth twp, y peth dwetha o'dd James oedd pert; gorjys, hynci, lysh ie ond ddim pert. Wrth lwc, chlywodd e ddim, roedd e'n rhy brysur yn taflu cynnwys y botel gwrw i lawr ei gorn gwddf.

Daeth y gân i ben yn llawer rhy gyflym, ac edrychodd Mari'n betrus ar James. Byddai'n diflannu'n ôl at ei ffrindiau nawr, siŵr o fod. Ond arhosodd yn dynn wrth ei hochr, gan droi a gafael yn ei hwyneb yn dyner a dechrau ei snogio. O'r mowredd! Roedd James yn ei chusanu! Ei chusan gyntaf – gyda James Rees! Ai breuddwyd oedd hyn? Beth oedd hi fod i wneud? Pryd i anadlu? Ai tafod oedd hwnna? Teimlai'r stybl ar ei ên yn crafu yn erbyn ei gên hi. Roedd ei choesau fel jeli a theimlai fel petai'r ddaear yn troelli dan ei thraed.

'Ti moyn 'bach o awyr iach?' sibrydodd James yn daer.

'Iawn . . .' Roedd Mari'n methu credu'i lwc wrth iddo'i llusgo'n gyflym allan o'r Clwb tuag at y maes parcio.

Tynnodd James becyn o sigaréts o'i boced a chynnig un iddi hi. Trueni na fuasai e'n ei thanio iddi fel gwnaeth Paul Henreid i Bette Davis yn y ffilm *Now Voyager*, meddyliodd Mari. Ond doedd hi ddim yn gallu cael popeth, sbo. Roedd James ganddi am heno ac roedd hynny'n fwy na digon.

Smygodd y ddau eu sigaréts yn araf ac yna tynnodd James hi tuag ato a dechrau ei chusanu eto. Mwythodd ei bronnau'n benderfynol, a theimlai Mari gryndod yn lledaenu trwyddi – cymysgedd meddw o ofn a chwant.

'Dwi wedi dy ffansïo di ers sbel, Mari,' arllwysodd James y wybodaeth yn llawn chwant i'w chlust.

'Wyt . . . wyt ti?' Roedd Mari bellach yn siŵr mai breuddwyd oedd y cyfan, ac unrhyw eiliad byddai ei chloc larwm yn ei deffro.

'Dwi 'di sylwi bo ti'n edrych arna i hefyd,' mynnodd James ac arwain Mari i gornel dywyll.

'Falle mod i.' Ceisiodd Mari wenu'n gellweirus wrth iddi geisio cofio *tips* Sara am sut i fflyrtio gyda bechgyn.

'Dwi wastad wedi meddwl bod ti'n wahanol . . . yn wahanol i'r merched eraill.'

Ac edrychodd fel pe gallai syllu'n syth i mewn i'w henaid. Petai Mari wedi rhoi sgript iddo fe, allai hi ddim fod wedi gwella ar ei eiriau. Cusanodd y ddau eto, yn fwy nwydus y tro hwn. Dechreuodd James ymbalfalu yn ei boced a thynnu pecyn bychan allan ohono. Condom? Doedd bosib? Doedd Mari ddim yn barod. Doedd hi jyst ddim.

Am ba bynnag reswm doedd Mari ddim wedi disgwyl y byddai e eisiau rhyw ar y noson gyntaf. Yn ei dychymyg, gwelai James a hithau'n cerdded law yn llaw ar y traeth, James yn ei dysgu i chwarae tennis, hi'n ei gofleidio ar ôl iddo ennill gêm rygbi . . . Ac yna, mewn rhai misoedd, mewn ystafell wely foethus – a hithau wedi siafio'i choesau ac yn gwisgo'r *lingerie* perffaith – byddai'n colli'i gwyryfdod iddo . . . Nid fel hyn, nid gyda chondom tsiêp mewn maes parcio budr . . .

Sut ddiawl allai hi gael ei hun allan o'r sefyllfa stici hon? Panic! Meddyliodd yn gyflym. Dim ond un peth allai hi wneud, ac wrth iddo droi ei sylw oddi wrthi i roi'r condom am ei bidyn, plygodd Mari yn ei dwbwl a ffugio ei bod ar fin chwydu.

'Yyyy . . . Wy'n teimlo'n sic,' udodd. Yn ofalus, syrthiodd i'r llawr gan ffugio *KO* ysblennydd. Caeodd ei llygaid yn dynn a theimlodd James yn sefyll uwch ei phen yn syllu arni. Cydiodd James ynddi a'i hysgwyd gan weiddi, 'Mari!' yn ei chlust, ond daliodd hi i gysgu cwsg 'ci bwtsiwr' fel byddai ei mam yn dweud.

'Mari!' gwaeddodd e'n uwch ond canolbwyntiodd hi ar gadw'i llygaid ar gau'n dynn. Wedi cyfnod hir o ddistawrwydd, clywodd Mari e'n ebychu o dan ei anadl, '*Fuckin' hell*! O'dd hon yn wast o amser.'

Yna clywodd *snap* y condom wrth iddo ei dynnu'n ddiseremoni oddi ar ei bidyn, yna sŵn *zip* ei jîns yn rhoi diwedd ar y mater. Caeodd ei llygaid yn dynnach wrth wrando ar sŵn ei draed yn cerdded i ffwrdd oddi wrthi ac yn ôl i'r parti. Er ei gwaethaf, teimlodd Mari ddagrau'n cronni ac yna'n llifo ar hyd ei hwyneb yn ddireolaeth cyn iddi agor ei llygaid. Cododd ar ei thraed yn araf a sigledig, ac edrych ar ei horiawr. Hanner awr wedi deg. Hanner awr arall, a byddai ar ei ffordd adre.

Owen: Miss Pin-up
1992

Crynai dwylo Owen wrth geisio eillio'r blewiach bach lletchwith oddi ar ei wddf. 'Ffyc!' llefodd gan wichian mewn poen a thorri cwt dwfn, gwaedlyd ar ran tyner o'i wyneb. *Typical*! Dyma fe'n paratoi i fynd allan gyda merch ei freuddwydion, merch breuddwydion pob bachgen rhwng deuddeg a deunaw oed yn Ysgol Gyfun Maesrhedyn, ac roedd yn rhaid iddo dorri cwlffyn mas o'i wyneb allan wrth eillio! Reit, *don't sweat*, chydig o Brut arno fe a byddai'r ffycar yn stopio gwaedu. Wwff! Doedd ychwanegu'r Brut ddim yn syniad da, a'r gymysgedd o waed a chemegau'n llosgi ei ên fel napalm.

Nawr, y gwallt. Roedd Owen wedi gwario'i arian poced i gyd ar gael torri'i wallt mewn salon ddrud llawn dynion ponslyd, camp yn y dre; roedd e'n werth y gost, teimlai, wrth i'r sbeiciau blew ar ei ben ymdebygu i gwrel gosgeiddig . . . 'Bach o *gel*, dim gormod, jyst digon, 'bach mwy o Brut o dan ei geseiliau ac i mewn yn ei drowser ac mi fyddai'n barod. Aww! Dyna gamgymeriad arall – anghofiodd ei fod wedi rhoi trim bach poléit i'w biwbs ddoe, rhag ofn y byddent hwythau, trwy ryw ryfedd wyrth, yn gwneud ymddangosiad annisgwyl heno yn ystod y dêt. A doedd e ddim eisiau i Michelle feddwl ei fod e'n cadw un o ddisgynyddion Chewbacca yn ei Calvin Kleins.

Roedd wrth ei fodd gyda'i jîns newydd hefyd, 501s, rhai du a chrys llwyd smart o Topman. Syllodd ar ei adlewyrchiad yn y drych. Roedd y gwaed wedi sychu ar ei ên bellach, a gobeithiai na fyddai Michelle yn sylwi arno. Oedd, roedd yn barod. Ond a oedd e'n ddigon da i Michelle? A fyddai hi'n meddwl ei fod e'n *pathetic*? Michelle Richards. Roedd yn rhaid iddo wynebu'r ffeithiau, roedd hi allan o'i *league* e'n llwyr mewn gwirionedd. Duwies a'i gwallt disglair yn donnau euraidd ar ei hysgwyddau, ei llygaid mawr yn ddioglyd o rywiol, a chorff siapus o ganlyniad i'w champau yn nhwrnameintau gymnasteg yr ysgol; hi oedd *pin-up* pawb, hyd yn oed y Prifathro, oedd yn gwrido fel bitrwten bob tro y byddai'n dod ar draws Michelle. Dim rhyfedd taw ei lysenw yn yr ysgol oedd 'Perf-athro'.

Roedd Huw wedi betio Owen na fyddai ganddo ddigon o gyts i ofyn Michelle allan. Ac yn wir, doedd e ddim yn gwybod pam wnaeth e dderbyn y bet. Falle mai oherwydd bod pawb wedi clywed Huw yn clochdar am y peth yn ystafell y chweched, ac ar binnau i weld beth fyddai'n ei wneud.

Dechreuodd ei galon garlamu eto wrth iddo ail-fyw'r foment dyngedfennol honno pan gerddodd i fyny ati echddoe tra oedd hi'n eistedd ar y soffa gyda'i ffrindiau, yn sugno lolipop pinc Chupa Chups. Aeth y cyfan mewn i *slo-mo* yn ei gof. A'r peth rhyfedda oedd, mi ddywedodd hi, 'Iawn'. Jyst fel'na, heb ddim lol na dim *big whoop*. Ai allan o garedigrwydd neu drueni y dywedodd hi 'Iawn'? Wel, dyna theori'r rhan fwyaf o fechgyn eiddigeddus y Chweched, neu achos, falle, ei bod hi'n gwybod mai fe oedd y boi iddi hi.

Roedd gan Huw theori arall, wrth gwrs. 'Falle 'i bod hi am drio boi sensitif y tro 'ma – yr *anti-jock*, a ti'n eitha *brain-box*,' esboniodd ei ffrind yn wybodus wrth gnoi ei sosej rôl yn feddylgar un awr ginio. 'Aeth hi mas 'da'r *twat* Garmon 'na am sbel nes i hwnnw shago rhywun arall, a galli di ddim cael rhywun mwy gwahanol i ti na Garmon . . . Falle bod hi'n ffansïo *change* a ddim isie mynd mas 'da rhywun golygus eto . . . *no offence.*'

'On'd ydw i'n lwcus ei bod hi wedi penderfynu'i slymio hi 'da smalwyn fel fi!' Gallai Huw fod yn *real dick* ar brydie.

'Sori mêt,' chwarddodd Huw, 'o'n i ddim yn 'i feddwl e fel 'na.'

Eniwe, roedd hi wedi cytuno, a dyna oedd yn bwysig. Agorodd Owen y drôr yn ei ystafell wely ac ymbalfalu o dan ei sanau i ddod o hyd i'r pecyn o dri. Pendronodd gryn dipyn dros ei ddewis o gondom, gan fynd am y 'gold deluxe' yn y diwedd.

'Alli di ddim sgimpo lle ma Michelle yn y cwestiwn,' oedd barn bendant Huw. Roedd wedi prynu dau becyn a defnyddio un pecyn cyfan mewn *trial run* er mwyn sicrhau y byddai'n gallu gosod yr hosan *latex* ar ei bidyn yn ddidrafferth, rhag datgelu i Michelle ei fod yn gwbl ddibrofiad yn y maes.

Cydiodd yn y pecyn arall a'i osod yn ofalus ym mhoced ei got. Rhoddodd un edrychiad arall ar ei adlewyrchiad gan ddweud mewn llais Robert De Niro-aidd, 'Reit 'te bois. *I'm going in*!' Roedd e nid yn unig cynrychioli ei hun heno meddyliodd Owen, ond yn cynrychioli holl fechgyn y Chweched hefyd, holl fechgyn Cymru hyd yn oed a holl fechgyn y byd o bosibl. Byddai llygaid pawb arno a'i ymdrech i fachu'r ferch berffaith . . .

'W, ti'n edrych yn smart,' dywedodd ei fam wrth ei wylio'n cerdded i mewn i'r gegin ar ei ffordd allan.

'Well i ti gael benthyg labrador drws nesa i fynd ar y

dêt 'ma,' crechwenodd ei chwaer ieuenga, Lisa. 'Ma'n amlwg fod isie *guide-dog* ar Michelle, os yw hi'n mynd mas 'da ti.'

'Paid â bod yn gas wrth dy frawd, Lisa,' dwrdiodd eu mam. 'Ma Owen ni'n fachgen teidi iawn.' Gwenodd ei fam arno'n falch.

'Ie, stica di at freuddwydio am Rhys Jones, Lisa. Trueni bod e'n mynd mas 'da Siwan Jefferies, on'tefe?'

Gwyddai Owen fod gan ei chwaer grysh enfawr ar Rhys gan ei fod e a Huw wedi cael hwtian chwerthin y penwythnos diwetha wrth ddarllen ei dyddiadur hi.

'Ma-am! Gwedwch wrtho fe!'

'Nawr, peidiwch â bigitan, nid plant bach y'ch chi nawr. Cofia ddod adre cyn hanner nos, Owen.'

'Ie, a watsha'r car er mwyn dyn,' mwmiodd ei dad o'i gornel wrth yr Aga.

Canodd Owen y corn yn betrus wrth iddo stopio'r car tu allan i gartref Michelle. Roedd ei chartref yn union fel yr oedd wedi dychmygu, tŷ swbwrbaidd moethus yn y Rhath, nid nepell o'r llyn. Dim ond mis oedd wedi mynd heibio ers iddo basio'i brawf gyrru, ac roedd yn dal i fod yn nerfus wrth y llyw. Byddai'n rhaid iddo roi'r argraff i Michelle ei fod yn yrrwr profiadol, rhywbeth arall iddo boeni yn ei gylch. Dewisodd gerddoriaeth cŵl i'w chwarae ar ei chwaraewr tapiau yn y car, Depeche Mode, a gwaredu Madonna a Phil Collins o'i gasgliad.

Ei gynllun oedd mynd â hi i dŷ bwyta Eidalaidd crand yn y dre, a byddai'n cynnig talu am bopeth wrth gwrs. Agorodd ddrws ffrynt y tŷ a chamodd Michelle allan. Roedd y golau egwan o'r cyntedd yn ei hamgylchynu, a'i thrawsffurfio'n angel am eiliad hudolus. Camodd i lawr y grisiau a rhedeg tuag at y car yn gwisgo cot wen a sgert fini ddenim. Gwisgai fŵts cowboi hefyd, a theimlai Owen ei bidyn yn cyffroi yn ei bants yn barod. *For God's sake, get a grip*! dywedodd wrth ei organ anufudd. Agorodd Michelle ddrws y car a neidio i mewn yn hyderus.

'Haia!' Rhoddodd gusan iddo ar ei foch.

'Haia.' *God*! Am ateb rybish, ond cusan ar unwaith! Roedd Owen yn dechrau simsanu'n barod a thaniodd yr injan gan geisio cadw'i cŵl.

'Lle ti'n mynd â fi, 'te?' holodd Michelle yn *perky*, tynnu potel o win allan o'i bag a dechrau swigo ohoni.

'Wel, o'n i'n meddwl mynd â ti i'r Taste of Naples yn y dre.'

'Italian? Gyda'r holl galorïau gwag yna? Dim diolch! Jyst gyrra i mewn i'r parc draw fanna i ni gael siarad chydig,' gorchmynnodd Michelle.

Ufuddhaodd Owen gan deimlo'n siomedig nad oedd hi'n fodlon cael ei gweld yn gyhoeddus yn ei gwmni. Dechreuodd ofni mai *wind-up* oedd y cyfan. Rhyw gynllwyn dieflig roedd hi a'i ffrindiau bitshi wedi'i gynllunio i gymryd y *piss* allan ohono fe.

'Parca fan hyn!' mynnodd Michelle fel oedd y car yn cyrraedd y parc a glan y llyn.

'Smo ti isie mynd mas i rywle . . . sinema, falle?' holodd Owen. Diffoddodd yr injan yn teimlo'n reit fflat.

'Sdim rhaid mynd i unman, o's e? Ma popeth sy isie arnon ni fan hyn . . .'

Cynigiodd Michelle sigarét iddo.

Cymerodd Owen y sigarét, ei galon yn curo fel

gordd erbyn hyn. Syllodd arni'n llowcio eto o'r Thunderbird a thanio'i sigarét gyda fflic arbenigwraig.

'Yyy . . . Be ti'n feddwl, Michelle?'

'Wel, ma 'da ni seddau cefn cyfforddus. Ma Thunderbird a ffags 'da ni . . . O's 'da ti gondoms?'

Roedd Owen yn methu credu ei glustiau – wnaeth hi holi am gondoms? Llyncodd y poer oedd yn ymgasglu yn ei geg a sibrydodd yn wan, 'Y . . . y . . . o's . . . Ond . . . smo ti isie siarad tamed bach gynta?'

'Siarad? Siarad am be?' holodd Michelle a rhoi ei thraed ar y dashbord. Syllodd Owen arni fel *mongoose* ar neidr, a llyncodd ei boer wrth iddi hi groesi a dadgroesi'i choesau nefolaidd o'i flaen.

'Wel . . . ti'n gw'bod . . . sa i'n gw'bod . . . am dy ddiddordebe di, falle . . . Dwi ddim yn nabod ti'n dda iawn . . .' Tynnodd yn ddwfn ar ei sigarét i geisio lleddfu'i nerfau a theimlodd wres sur y mwg yn cydio'n ei ysgyfaint. Ych! roedd e'n casáu sigaréts.

Chwarddodd Michelle a chwythu cylch perffaith o fwg o gwmpas ei phen fel *halo*. 'Be ti'n feddwl? Ni 'di bod yn yr ysgol 'da'n gilydd ers *ages*, Ow. Gronda, cymra swig o hwn, a fyddi di ddim yn swil wedyn.'

Estynnodd Michelle y botel Thunderbird iddo a chymerodd Owen un swig bach cyn ei roi'n ôl iddi. Roedd e fel *paint stripper*!

'Yfa fwy na 'ny, w!'

'Na, well i fi bido, wy newydd basio 'mhrawf . . .'

Syllodd Michelle arno fel pe bai'n ystyried beth i'w wneud am eiliad, cyn tynnu'i chot. Sylwodd Owen ei bod yn gwisgo crys-T gyda gwddw 'V' isel iawn oedd yn dangos ymchwydd ei bronnau bach perffaith i'r dim. Yn gwbl ddirybudd, tynnodd ei chrys-V hefyd ac eistedd yno yn ei bra a'i sgert yn unig. O'r nefoedd!

Roedd hi'n amlwg yn *sex maniac* llwyr. Beth am *foreplay* neu rywbeth? Roedd Owen wastad wedi meddwl bod merched eisiau sgwrsio a fflyrtio'n gyntaf, ac wedyn, os oedd crwt yn lwcus, o gwmpas y trydydd dêt, yna byddech chi'n cael *cheeky blow-job,* falle . . . Dim y *Full Monty* yn syth-mewn iddi yn y parc! Beth os na fyddai fe'n ddigon caled . . . neu'n waeth fyth, beth tase fe'n dod yn rhy glou? *Shit*! Pam na fyse fe wedi dilyn cyngor Huw a chael *practice run* gyda rhywun arall yn gynta? Chi ddim yn gyrru Rolls Royce cyn ymarfer mewn Skoda, 'na beth wedodd Huw, ta beth.

'Ti'n rili ciwt pan ti'n nerfus!' chwarddodd Michelle. 'Lot mwy ciwt na'r *twats* erill 'na'n y Chweched.'

Ciwt! Roedd hi'n meddwl ei fod e'n ciwt! Ond roedd blwmin cathod bach yn ciwt! Roedd e isie iddi feddwl ei fod e'n secsi. Ticiai'r eiliadau heibio'n gythreulig o araf, gyda Michelle yn rhythu'n ddisgwylgar arno, yn amlwg yn aros iddo wneud ei *move. Shit, shit, shit*! Reit, bydd yn hyderus, cymera'r awenau, cyn iddi ddiflasu.

Datododd Owen ei wregys diogelwch a phlygu tuag ati gan ddechrau ei chusanu'n araf. Yna, teimlodd ei thafod hi yn ei geg a'i dwylo'n ymbalfalu am ei gopish. Roedd hyn yn nefoedd ac yn uffern ar yr un pryd. Sut gallai gadw rheolaeth arno'i hun? Roedd ei bidyn ar dân, yn ysu am gael ei ryddhau o gaethiwed y jîns.

Yna, fel petai hi wedi darllen ei feddwl, dechreuodd Michelle agor copish ei jîns, botwm wrth fotwm. Edrychodd Owen arni fel petai'n *alien,* roedd hi'n dal i'w gusanu, ar ei wddf ac ar ei frest, ac yn datod ei jîns yn fedrus ar yr un pryd. Roedd hi'n amlwg yn brofiadol iawn.

'Jwmpa mewn i'r cefn 'da fi,' gorchmynnodd Michelle a neidio i gefn y car fel *gazelle* horni. Stryffaglodd

Owen dros y sedd gyda'i jîns yn cwympo i lawr tuag at ei bigyrnau. Bellach, roedd ei bidyn wedi anghofio am unrhyw fath o *etiquette* a safai allan o'i bants fel polyn.

Shit! Cofiodd yn sydyn am y condoms 'gold deluxe' ym mhoced ei got – ond roedd honno'n gorwedd ar y llawr wrth sedd y gyrrwr, ymhell bell i ffwrdd. Cyn iddo fedru gael gafael yn y condoms, roedd breichiau Michelle o'i gwmpas fel feis a'i cheg yn ei snogio'n ddidrugaredd. Rhwygodd fotymau ei grys ar agor – roedd Owen yn methu credu cymaint o anifail oedd hi, a fyddai Huw a'r bois byth yn ei gredu ddydd Llun!

''Na ni, paid â bod yn swil,' mwmiodd Michelle gan gydio'n ei bidyn fel pe bai hi'n berchen arno. Teimlodd hwnnw'n gwingo yn erbyn ei llaw, fel cwningen ofnus. Ac wrth i'w cheg gau amdano a dechrau sugno'n fedrus, gwyddai Owen beth oedd pwrpas yr holl lolipops roedd Michelle yn eu llarpio'n dragwyddol . . . practis.

Brwydrodd rhag dod yn syth yn ei cheg, rhywbeth yr oedd yn ei ofni â'i holl enaid, o 'nunlle, daeth ton erchyll o anhwyldra drosto. *Shit*! Doedd e ddim am ddigwydd . . ? Teimlai'r cyfog yn cronni yn ei stumog, ac yn gwthio'i ffordd tuag at ei geg. Cyn iddo fedru penderfynu ai cyfuniad o sioc, Thunderbird a'r sigarét 'na oedd y drwg yn y caws chwydlyd, gwyddai na allai ymladd yn erbyn y peth. Ceisiodd wthio pen Michelle allan o'r ffordd, ond fe wnaeth hi gamgymryd ei symudiad am frwdfrydedd a dechrau sugno'n gyflymach. Roedd sugno gwyllt Michelle yn sbardun i'r hyn ddigwyddodd nesa. 'O ffyc, blyyrch!' ebychodd a chyfogi drosti'n ddireolaeth.

Rhewodd popeth am rai eiliadau cyn i Michelle boeri mewn anghrediniaeth. Roedd ei gwallt perffaith bellach yn ddrychiolaeth erchyll o foron a thomatos. Cododd Michelle ar ei heistedd a syllu arno'n filain cyn saethu bwledi geiriol tuag ato. 'Ych a fi! Be ddiawl sy'n bod arnat ti gwe'd, y mochyn? Ma sic dros Tommy Hilfiger fi i gyd! *Twat*!'

O'r holl *scenarios* bu Owen yn eu chwarae yn ei ben wrth feddwl am y foment dyngedfennol hon pan fyddai'n colli ei wyryfdod i Michelle, wnaeth e fyth ddychmygu y byddai'n hwdu drosti. Oedd yna fodd achub y sefyllfa? Ymbalfalodd ym mhocedi ei jîns a orweddai'n llac o gwmpas ei bigyrnau tra gwisgai Michelle amdani'n frysiog.

'Michelle! Dwi'n rili, rili sori. Ma'n rhaid mod i 'di bwyta rhywbeth o'dd ddim yn cytuno 'da fi . . . brechdan wy dodji neu rywbeth . . . Co, ma hances 'da fi . . .'

Cynigiodd hen hanes boced iddi a'i law yn crynu mewn cyfuniad o ofn a sioc. Cipiodd Michelle yr hances oddi arno'n wyllt a cheisio sychu'i gwallt yn aflwyddiannus.

'Ti'n *mental*! Ti'n gw'bod 'ny? O'dd y merched yn gweud bo fi off 'y mhen yn mynd mas 'da *weirdo* fel ti! *Knobhead*!'

A gyda hynny gwisgodd ei chrys-V, gafael yn ei chot, ei bag a'i photel Thunderbird a chamu allan o'r car mewn tymer uffernol.

'Michelle!' brefodd Owen yn wan ar ei hôl. Ond gwyddai na fyddai'n cael cyfle arall. Fel cymeriad mewn stori dylwyth teg, roedd hi wedi dychwelyd i'w thŵr euraidd, a'i adael yma gyda'i bants yn llaith a'i galon yn ddarnau. Dyna ddiwedd fy *sex life*, ochneidiodd Owen, hyd nes y byddai e'n gadael yr ysgol, a Chymru – siŵr o fod.

Daeth cân gawslyd Roxette, 'It Must Have Been Love', ymlaen ar stereo'r car i'w wawdio ymhellach. Ac wrth iddo sylweddoli y byddai pawb yn clywed am ei antics yn yr ysgol fore Llun, llifodd dagrau cywilydd yn boeth i lawr ei ruddiau gwelw.

Pennod 2

Mari: Mr Llais Anffodus

1994, Coleg

A hithau bellach yn y Coleg, roedd Mari'n gobeithio y byddai ei lwc gyda dynion yn gwella. Roedd Sara a hithau'n rhannu ystafell mewn neuadd breswyl i fyfyrwyr ym Mhrifysgol Caerdydd, ac roedd eu calendr cymdeithasu yn anghysurus o brysur. Wrth gwrs, roedd gwaith coleg y ddwy'n dioddef, ac yn y tri mis y bu Mari'n lasfyfyrwraig magodd stôn o bwysau, diolch i'r cyris diwedd sesh nosweithiol, a'r poteli o Mad Dog dirifedi a yfai'r ddwy yn Undeb y Myfyrwyr.

Roedd Mari wrth ei bodd gydag awyrgylch gosmopolitaidd Caerdydd – gwrthgyferbyniad llwyr i'w bywyd bach gwledig yn Sir Gâr. Ac un o'r pethau gorau am fod yng Nghaerdydd oedd y dewis eang o ddynion oedd ar gael. Pob lliw, pob llun, pob cred, fel *pick and mix* gwrywaidd.

Ar ei hail noson, roedd hi wedi llwyddo i dynnu 'stŷd' y Neuadd – Dewi Prys. Myfyriwr trydedd blwyddyn oedd Dewi, ac ymhyfrydai yn ei alluoedd pwerus gyda merched ifanc. 'Y Ci' oedd ei lysenw, ac yn wir, wrth deimlo'i ddwylo ymbalfalu eu ffordd tuag at ei nicers, gwyddai Mari nad oedd hi am wastraffu ei gwyryfdod ar y creadur barus hwn.

'Sori Dewi, ond ddim ar y noson gyntaf,' gwenodd arno mewn embaras. Gorweddai'r ddau ohonynt drwyn wrth drwyn ar ei gwely cul. Pan sylweddolodd Dewi na fyddai Mari'n newid ei meddwl, gadawodd yr ystafell ar unwaith, gan wybod yn sicr y byddai'n ffeindio rhywun yn rhywle a fyddai'n fwy na pharod i gael 'chydig o hwyl' gydag e.

Ers hynny, roedd sawl bachgen wedi dal ei llygad. Euros, ffreshar arall oedd yn cydymffurfio â'i hoff deip – *loner* artistig oedd yn chwarae gitâr mewn band ac yn cuddio'i lygaid mawr brown ci bach o dan ei fop o wallt tywyll. Ceisiodd ddechrau sgwrs gydag Euros sawl gwaith ac yn wir, dangosodd Mari dueddiadau stelciwr wrth ei ddilyn ar ei rwtîn dyddiol am fis cyfan nes i Sara gael gair gyda hi.

'Drycha Mari, ma pawb yn dechre dy alw di'n *stalker*. Sdim diddordeb 'dag Euros ynddot ti. Ma cariad 'dag e 'nôl adre ers dyddie ysgol.'

Cywilyddiai Mari'n fawr wrth wrando ar eiriau Sara, a chafodd eu sgwrs gryn effaith arni am gyfnod hir. Cymdeithas fechan ac ynysig oedd cymdeithas prifysgol, ac roedd pawb yn gwybod eich holl gyfrinachau. Pwy oedd yn shagio pwy, pwy oedd yn 'tŵ-teimio', pwy oedd yn hoyw, pwy oedd yn *bi*. Penderfynodd Mari ddilyn cyngor Sara, a oedd eisoes wedi mwynhau dwy berthynas yn ystod ei hamser byr yn Coleg, sef 'act casual' ac aros iddyn nhw ddod i siarad gyda hi. Dyna'r dacteg orau o bell ffordd, meddyliodd, er mwyn osgoi'r embaras o gael ei gwrthod – a bod yn hollol sicr bod ganddynt ddiddordeb ynddi yn y lle cynta.

Ar y noson pan gyfarfu hi â Nick, roedd Sara a hithau, yn ôl eu harfer, yn eistedd wrth 'eu bwrdd' nhw yn yr Undeb yn downio gwin Mad Dog ac yn llygadu'r talent o'u cwmpas. Daliodd Nick lygad Mari, gan ei fod yn sefyll allan fel ryw aderyn egsotig ymhlith y brain. Roedd yn eithriadol o dal, chwe troedfedd pum modfedd o leia, yn bryd tywyll a *drop dead gorgeous*. Syllai pob merch arno, a rhai o'r bechgyn hefyd. Hwn oedd y sbesimen gwyrthiol, enillydd y loteri geneteg, yr un â'r wyneb a'r corff perffaith.

'Wyt ti wedi gweld y boi 'na wrth y bar?' sibrydodd Mari wrth Sara. 'Mae e'n anhygoel!'

'Mas o dy *league* di, Mari fach,' dywedodd Sara yn ddoeth wedi un edrychiad cyflym a thanio sigarét. 'Ac ma'r rhai sy mor olygus â 'na yn mynd i fod yn fwy o drafferth na'u gwerth, ta p'un.'

'Be ti'n feddwl?' Rhewodd llygaid Mari ar yr Adonis o'i blaen a methu symud ei llygaid oddi wrth ei wychder; roedd ei wên yn hudol, y ffordd y daliai ei hun mor osgeiddig, mor wahanol i Euros a'i *fringe* stiwpid.

'Wel, es i allan 'da model unwaith, ti'n cofio?' dywedodd Sara, gan smygu ei sigarét mor *blasé* â Marlene Dietrich.

'Pwy, hwnna oedd yn modelu i'r siop syrffo yng Nghaerfyrddin?'

'Roedd Gabriel wedi gwneud gwaith catalog hefyd!' atebodd Sara'n amddiffynnol. 'Eniwe, o'dd e'n rhy olygus. Gwmws fel *action-man,* pob blewyn yn ei le a dim digon o dân yn ei injan e . . . Sdim rhaid i fois gor-olygus wneud unrhyw ymdrech 'da'u personoliaeth. Ma'r *packaging* allanol mor dda, sdim gwahaniaeth am y cynnwys. Dwi'n 'nabod y teip, Mari.'

'Wel, dwi'n gw'bod bod dim gobaith 'da fi, eniwê, ond alla i wastad freuddwydio,' dywedodd Mari gan wenu draw ar yr Adonis yn freuddwydiol. Er mawr syndod iddi, gwenodd yntau'n ôl arni.

'Ti isie diod arall?' meddai Mari gan feddwl yn chwim; roedd yn rhaid iddi fynd i siarad gyda hwn cyn i ferch arall ei fachu o dan ei thrwyn. Fel arall, mi fyddai'n difaru am byth nad oedd wedi cymryd y cyfle.

'Ocê, Mad Dog bach arall ife?' nodiodd Sara.

A chan ddiolch i'r duwiau dillad ei bod wedi gwisgo'i ffrog newydd lês y noson honno, cerddodd Mari draw at y bar a sefyll wrth ochr yr Adonis.

Ond cyn iddi gael cyfle i ddechrau sgwrs, dyma ryw *idiot* gwallt gwyllt yn taro yn ei herbyn ac yn arllwys cwrw dros ei ffrog.

'O sori, sori! Mae'n wir ddrwg gen i!' ebychodd yr *idiot* a cheisio mopio'i ffrog gyda hen hances fudr.

'Blydi hel, watsha be ti'n neud!' gwgodd Mari arno. Y blydi *twat*, yn dinistrio'i chyfle gyda'r Adonis fel hyn!

'Gad i fi brynu drinc i ti i wneud lan am y *mess*,' meddai'r bachgen gan wenu'n obeithiol arni.

'Na, mae'n iawn, sa i isie risgo mwy o ddamweiniau.' Teimlai Mari'n flin a symudodd yn agosach at yr Adonis wrth y bar.

Diolch byth bod ei ffrog yn ddu – doedd y staen cwrw ddim yn amlwg. Nawr, sut oedd hi am gychwyn ei sgwrs? Sylwodd ei fod yn ysmygu, felly tynnodd hithau sigarét allan o'i bag a rhoi ei llaw ar ei fraich. W! Gallai deimlo'r cyhyrau cryf o dan ei grys-T – roedd e'n berffaith! Anadlodd yn ddwfn. Trodd Adonis i edrych arni, a'i lygaid glas lliw môr y Caribî'n disgleirio. Roedd e'n fwy llesmeiriol fyth yn agos.

Penderfynodd Mari anghofio am ei rheol newydd o adael i'r dynion wneud y 'first move'. Roedd hwn yn eithriad amlwg am ei fod e mor olygus a doedd neb o gwmpas i'w chlywed hi'n methu. Ciledrychodd i gyfeiriad Sara a gweld bod ei ffrind yn brysur yn fflyrtio gyda bachgen â gwallt hir. Penderfynodd fynd amdani.

'Esgusodwch fi, oes tân gyda chi, plîs?' Fflachiodd wên *mega-watt* arno'n ffug hyderus.

Tynnodd yntau *lighter* o'i boced a thanio'i sigarét iddi.

'Diolch. Nawr, fel tâl am dy gwrteisi hefo'r *lighter*, dwi'n rhoi caniatâd i ti siarad gyda fi am gwpwl o funudau.' Roedd hon yn dacteg newydd i Mari; doedd hi heb ei chynllunio, ond trwy ryw ryfeddod edrychai fel pe bai'n gweithio wrth iddo ei dilyn yn ufudd i eistedd wrth fwrdd bychan gerllaw. Edrychodd Mari draw'n fuddugoliaethus ar Sara oedd yn syllu arni gyda'i cheg yn lledagored, a rhoddodd ei llaw yn diriogaethol ar fraich Adonis.

'Mari ydw i,' meddai gan glincio'i photel Mad Dog yn erbyn ei beint yn chwareus.

'N-n-ick.' Roedd ganddo'r llais rhyfedda iddi ei glywed erioed, llais oedd yn rhy ddwfn o lawer ac yn gwneud iddo swnio fel person araf iawn. Ond dim ond un gair roedd e wedi'i yngan hyd yma; falle bod rhywbeth yn sownd yn ei lwnc e, darn o *pork scratching* strae wedi mynd i lawr y twll anghywir.

Rhoddodd gynnig arall arni.

'Heb dy weld di o gwmpas, Nick, lle ti wedi bod yn cuddio?'

'Dwi we-di bod yn bry-sur yn sgrif-e-nnu fy nhraeth-awd ym-chwil.' Gwenodd arni a chyffwrdd â'i llaw'n gariadus.

Fucking Hell! *Typical*, roedd e'n ei ffansïo hi, roedd hynny'n amlwg, ond ei lais anffodus . . . Wel, doedd dim modd i Nick fod yn berffaith, sbo; efallai ei bod yn well nad oedd ganddo'r holl *package*, neu fyddai dim gobaith gan rywun fel hi. Roedd e'n amlwg yn alluog, roedd y traethawd ymchwil yn tystio i hynny. Penderfynodd feddwi'n dwll ar Mad Dog ac yna fyddai'r llais anffodus ddim yn broblem.

Wedi treulio ychydig oriau yn ei gwmni, roedd yr alcohol yn gwneud ei waith, a chymaint oedd pŵer ei bryd a'i wedd, nes bod Mari'n hapus i anwybyddu'r llais bychan oedd yn procio'i chydwybod, 'Ti ond yn 'i ffansïo fe achos bod e mor olygus, ddim am ei bersonoliaeth, ac yn sicr ddim am ei lais!'

Cerddodd Sara at y bwrdd, yn amlwg bron â marw eisiau'r *goss*, a chynigiodd ei llaw yn hy' i Nick, 'Haia, Sara dw i, ffrind gorau Mari.'

Ond cyn i Nick gael cyfle i ddweud gair, dywedodd Mari'n gyflym, 'Hi Sar, dyma Nick. Y'n ni am fynd 'nôl i'w le e'n y dre. Wyt ti'n iawn i fynd adre ar ben dy hun?'

'Smo fi ar ben fy hunan, ma Rhys yn dod 'da fi.'

'Grêt, wela i di fory 'te.' Gwenodd Mari arni, gan weddïo y byddai'n cymryd yr *hint*.

''Na ni te,' atebodd Sara'n ddrwgdybus. Culhaodd ei llygaid, roedd rhywbeth yn mynd mlaen fan hyn. Ond gwelodd Rhys yn aros yn ddiamynedd amdani, felly trodd ar ei sawdl yn eiddgar. Ochneidiodd Mari mewn rhyddhad gan wylio'r ddau yn cerdded allan o'r Undeb fraich ym mraich.

'Reit, lle'r o'n i . . .' Trodd Mari yn ôl at Nick-llais-araf. 'O ie, fy hoff ffilm . . . *Mannequin*, wrth gwrs, clasur cawslyd o'r 80au.'

'O dwi heb weld *Mann-e-quin*,' atebodd Nick mewn *slow motion*. Roedd e'n lwcus ar y diawl ei fod e mor olygus, a thrwy ganolbwyntio ar y gweledol gallai Mari anwybyddu artaith y clywedol, jyst abowt.

'Wel, gallwn ni'i wylio fe 'da'n gilydd rhywbryd,' meddai Mari'n ysgafn.

'Ti'n ba-rod i fynd?' holodd Nick, wrth wisgo'i siaced ledr amdano.

O Dduw, diolch am roi'r Adonis yma i fi heno, gweddïodd Mari, yn teimlo'n falch wrth iddynt gerdded allan o'r Undeb gyda'i gilydd. Sylwodd ar y merched eraill yn syllu'n genfigennus arni wrth i Nick roi ei fraich amdani. Am unwaith, hi oedd wedi bachu'r *cream of the crop*, a doedd dim rhaid i neb wybod beth oedd y gwir anffodus . . . Wel, ddim am sbel ta beth . . .

Dechreuodd Mari feddwl a ddylai golli'i gwyryfdod i Nick wrth i'r ddau ohonynt giglan a chwtshio yn ei ystafell wely fechan. Yn y diwedd, penderfynodd fynd amdani. Roedd hi'n ddeunaw oed, bron yn bedair ar bymtheg; wedi'r cwbl, collodd Sara'i gwyryfdod yn bymtheg oed. Byddai cael y fath bishyn â Nick yn sicr yn bluen yn ei chap o ran ei henw yn y Neuadd, o gofio iddi wneud gymaint o ffŵl cyhoeddus ohoni'i hun gydag Euros yn ddiweddar.

Tynnodd Nick ei dillad yn araf a thyner gan syllu i'w hwyneb wrth wneud.

Yna tynnodd ei grys-T a'i jîns ei hun yn osgeiddig. Bu Mari bron â llewygu wrth weld prydferthwch ei gorff, a gwyddai nawr iddi wneud y penderfyniad cywir i gysgu gyda fe. Cusanodd Nick ei bronnau'n awchus a dechreuodd yngan ei henw'n arteithiol o araf nes i Mari roi ei llaw ar ei geg. 'Sdim angen geiriau,' gwenodd arno, gan obeithio y byddai'n cau ei blydi *chops* a chanolbwyntio ar y corfforol.

Anadlai Nick yn drwm wrth ei hochr yn ei wely bach sengl, syllodd Mari ar ei ben-ôl perffaith, fel dwy eirinen wlanog yn erfyn ar i chi eu gwasgu a'u mwytho. Roedd y rhyw yn eitha da, yn llai poenus na'r hyn roedd hi wedi'i ddisgwyl, ond gwyddai nad oedd wedi cyrraedd yr entrychion nefolaidd disgwyliedig. Yn naturiol, meddyliodd y byddai angen ymarfer arni cyn llwyddo i feistroli'r grefft.

Wedi iddi dod i adnabod Nick yn well, dechreuodd y llais bach y bu'n ceisio'i ddistewi am wythnosau sibrwd yn uwch yng nghlust Mari. Roedd Sara wrth ei bodd gyda Nick am ei fod yn ei helpu gyda'i gwaith Daearyddiaeth – roedd Nick wedi ennill gradd Dosbarth Cyntaf yn y pwnc y flwyddyn flaenorol – a dywedodd nad oedd ei lais e'n broblem iddi hi.

'Gronda Mari, ti'n ormod o berffeithydd. Ma'i lais e'n ocê, wir nawr, dyw e ddim mor wael â hynny.'

'Ond mae'n rial tyrn-off, Sara. Yn enwedig pan mae e'n dod, "Ma-ri, Maa-rrr . . . ii!" Ych! Mae'n hala cryd arna i.'

'Tria'i gadw fe am dipyn, ta p'un 'ny. Mae'n grêt cael ei help e 'da nhraethodau. Smo'r merched yn gallu deall shwt lwyddest ti i fachu shwt bishyn, ac mae'n dwlu arnat ti, *bonus*.'

Oedd, roedd Nick yn dwlu arni, ond yn dwlu braidd yn ormod. Bu'n rhaid iddi roi stop arno'n ei dilyn i dai bach y merched yr wythnos flaenorol, cymaint oedd ei awydd i fod yn ei chwmni drwy'r amser.

Ar ôl deufis, penderfynodd nad oedd modd iddi anwybyddu ei lais a'i fod yn ei rhwystro rhag gyrraedd y pegwn eithaf yn rhywiol. Un noson, a hwythau'n rhannu diod gyda'i gilydd yn yr Undeb clywodd Mari ei chwerthiniad anffodus am y milfed tro, cliciodd swits yn ei phen a phenderfynodd mai digon oedd digon.

'Nick . . . wy'n sori. Sa i'n credu bod pethe am weithio rhyngthon ni. Ti'n lyfli, *gorgeous*, ond dim ond deunaw o'd ydw i, a smo fi isie dim byd rhy ddifrifol. Wy'n moyn bod yn rhydd, cael opsiynau eraill.'

'Ma-ri. Be ti'n ddweud? Ti isie mynd *off* 'da rhyw-un ar-all?'

'Wel, na, sneb arall . . . smo fi isie cael fy nghlymu lawr, 'na 'i gyd.'

Oedd honna'n stori ddigon credadwy? Roedd hi'n dipyn mwy caredig na'r gwir. Tywyllodd ei wyneb ac edrychodd arni a chasineb yn ei lygaid prydferth. Roedd Nick yn deall ond yn rhy dda iddo gael ei ddefnyddio.

'O't ti jyst yn iw-so fi. Jyst er mwyn y rhyw.'

'Na, na dim o gwbl.'

'Fi'n na-bod y teip; ti'n *u-ser*, Ma-ri . . .'

Yn wyneb y fath gyhuddiad annheg, teimlai Mari ei thymer yn codi, ond gwyddai na allai ddatgelu'r gwir; byddai hynny'n rhy greulon a doedd hi ddim eisiau *scene*.

'Sori, Nick. Dwi ddim isie dy gamarwain di. Dwi'n siŵr y bydd boi golygus fel ti'n ffeindio rhywun arall yn ddigon clou.'

'Dy-na beth we-dodd fy nghar-iad diw-etha i,' plediodd Nick yn déspret.

'Wela i di rownd, reit?' dywedodd Mari'n lletchwith, yn ansicr o'r *etiquette,* gan mai dyma'r tro cyntaf iddi orffen gyda rhywun. Cododd o'i sedd a'i adael yno'n syllu ar ei hôl.

Fe welodd hi Nick gwpwl o weithiau ar ôl hynny, gyda'i gariad newydd – merch drom, fochgoch oedd yn ei ddilyn o gwmpas fel cysgod. Anwybyddai Mari'n gyfan gwbl, a synnai pawb a glywodd ei stori mai hi wnaeth orffen gyda fe. O leia, roedd hi wedi colli'i gwyryfdod o'r diwedd ac wedi llwyddo i fachu'r dyn perffaith yn y fargen, meddyliodd Mari – wel, yn ymddangosiadol, ta beth.

Owen: Miss Un Noson
1994

'Owen, boi, wyt ti'n sylweddoli pa mor lwcus y'n ni?' holodd Huw yn hapus wrth i'r ddau ohonynt lolian yn ystafell fechan Owen yn Neuadd Senghennydd.

'Be ti'n feddwl?' holodd Owen gan strymio'n ddiog ar ei gitâr.

'Y'n ni'n ddeunaw oed, yn *young, free and single*. Y rhieni'n methu cadw *tabs* arnon ni mwyach, a digonedd o ferched pert ym mhobman! Smo fe'n dod lot yn well na hynny.'

'Ie, wel, mae'n iawn i ti, ma gen ti'r *gift of the gab,'* dywedodd Owen yn ddiflas a chwarae *riff* drist ar ei gitâr. Falle nad oedd yn cael unrhyw lwyddiant gyda merched, ond o leia roedd ei gitâr yn ffyddlon iddo – fydde hi byth yn ei adael i lawr.

'Ti'n *strong and silent type,'* dywedodd Huw gan ddrachtio'n sychedig o'i gan Stella. 'Ti yw'r Cerddor Sensitif – a fi, wel, jyst galwa fi'n Mr Charisma. *Yin* a *yang*, t'wel – gyda'n gilydd ry'n ni'n anorchfygol!'

'Anorchfygol?'

'*Invincible*, fy ffrind bach ffôl,' atebodd Huw cyn mynd ymlaen i esbonio'i theori ymhellach p'un a oedd Owen am iddo wneud neu beidio. 'Gronda, ma 'na ddau fath o ferch. Un sy'n lico dynion *charming, urbane*, sy â gallu ieithyddol a sgyrsiol medrus, sef myfi. Ma'r llall yn lico dynion tawel, llawn dirgelwch ac yn *brooding*, sef ti.'

'Ble ti 'di darllen hyn?' wfftiodd Owen. 'Yn *Playboy*?'

'Nage, *Woman's Own* myn,' dywedodd Huw yn

awdurdodol hyderus. ''Na shwd wy'n gw'bod cymaint am fenywod, t'wel. Ti'n darllen y cylchgronau ma nhw'n eu prynu a ti'n deall eu *psyche* nhw, *dead easy*. *Elle, Marie Claire, Woman's Own, Cosmpolitan*; 'run peth ma pob un yn gwneud. 'Co ti'r allweddi i agor y drysau miwn i feddwl menyw . . . a miwn i'w gwely hi.'

'Ma Mam yn darllen *Woman's Own,*' meddai Owen yn wawdlyd.

'Ie, wel, mae wastad yn handi deall y fenyw aeddfed,' crechwenodd Huw. 'Rhag ofan.'

Rhoddodd Owen ei gitâr i lawr yn ofalus.

'Ti'n barod, 'te Huw, neu ti'n mynd i eistedd fanna trwy'r nos fel rhyw *Agony Aunt* yn siarad *shit*?' Roedd Owen yn ysu am beint.

'Ocê, ocê.' Roedd Huw hefyd yn déspret am beint, a dilynodd Owen o'r ystafell.

Wrth i'r ddau gerdded i gyfeiriad y dref, teimlai Owen y cynnwrf arferol yn llifo trwy'i wythiennau. Mis yn unig roedd e a Huw wedi bod yn y Brifysgol, ac roedd y nofelti o fynd allan bob nos gyda neb yn holi pryd fydden nhw'n dod adre yn dal i'w cyffroi. Dyma beth oedd rhyddid; yn wir, dyma beth oedd ieuenctid, a diolchodd fod Huw gyda fe'n gwmni gan nad oedd e'n dda o gwbl am wneud ffrindiau newydd ac yn waeth fyth am siarad gyda merched. Hyd yn hyn, roedd Huw wedi tynnu bron bob tro iddynt fynd allan. Doedd gan Huw ddim teip penodol – dim ond eu bod nhw'n bert ac yn barod i gael hwyl gydag e, dyna oedd ei feini prawf. Ond doedd Owen ddim yn cael unrhyw lwc o gwbl yn yr arena garwriaethol.

Oedd, roedd merched pert o'i gwmpas ym mhobman, ond byth ers y profiad hunllefus gyda Michelle yn y car, doedd e ddim wedi bod gyda neb arall ac felly heb eto golli'i wyryfdod. Bob tro roedd e'n ffansïo merch, deuai ôl-fflach brawychus o'r noson echrydus honno gyda Michelle yn y car i lethu ei *libido* caeth.

Fel petai e'n darllen ei feddwl, dywedodd Huw yn gysurlon, 'Paid â becs, Owen. Fi fydd dy *wingman* di heno, fel Maverick a Goose yn *Top Gun*. Dwi wedi bod 'bach yn hunanol falle, yn copio off heb feddwl amdanat ti yn dy gyflwr anffodus.'

Cerddodd y ddau i mewn i'r Undeb. Ar ôl treulio'r wythnos gyntaf yn yfed fel dau Oliver Reed ar bybcrôls niferus, penderfynodd y ddau mai'r Undeb fyddai eu *local* newydd. Dyna lle byddai pawb yn ymgasglu ar ddiwedd y noson beth bynnag, felly roedd yn gwneud synnwyr i gyrraedd yno'n gynnar er mwyn cael bwrdd da. Fel dywedai Huw, os oeddech yn hela, ac roeddent ill dau yn ystyried ein hunain yn helwyr merched, roedd angen 'nyth eryr' i fedru gweld a sylwi ar bawb a phopeth.

'Cyflwr anffodus? Pwy gyflwr anffodus?' holodd Owen tra oedd y ddau'n aros eu tro wrth y bar.

'Ie, ti'n gwybod,' sibrydodd Huw yn ffug dawel, fel petai'n sôn am wahanglwyf. 'Y mater bach o golli dy *cherry*!'

'Olreit, olreit, cadw dy lais i lawr!' arthiodd Owen yn ffyrnig. 'Ddigwyddith e pan fydda i'n barod. Smo fi fel ti, isie shago trwy'r amser.'

'Ma hynna, fy annwyl ffrind . . .' Oedodd Huw, talu'r bar-man a dilyn Owen tuag at eu bwrdd arferol, '. . . achos dwyt ti heb eto brofi pleserau'r cnawd i'w heithafion meddw. Unwaith fyddi di, fe fydd e fel cyffur, gorffod gael mwy a mwy a mwy . . .' Llowciodd Huw ei beint yn awchus fel petai'n ei helpu i fynegi ei bwynt yn well.

'Gymera i dy air di.' Gwyddai Owen nad oedd pwrpas iddo ateb yn ôl gan fod yn rhaid i Huw gael y gair olaf bob tro, hyd yn oed os oedd e'n anghywir.

'Gronda, alli di ddim gadael i beth ddigwyddodd 'da Michelle strywo dy fywyd di.' Weithiau, roedd Huw mor blydi gwybodus â Freud wrth iddo grensian ei *pork scratchings* yn swnllyd. 'Ac os na fyddi di'n jwmpo ar y ceffyl unwaith 'to, maddeua'r idiom, wel, allet ti gael problemau seicolegol difrifol a allai effeithio ar dy fywyd rhywiol di am flynyddoedd i ddod.'

'Mwy o *tips* o *Woman's Own*, ife?'

'Nage, *Bella*. Reit, edrycha mas am ferch bert nawr a cher i siarad 'da hi.'

'Be weda i?' Teimlodd Owen banig wrth feddwl am wneud y fath beth.

'Gofyn os yw hi isie diod, i ddechre. 'Co, mae un fach ddigon pert ar ei ffordd i'r bar draw fanna yn y ffrog lês.'

''Bach mas o'n *league* i, smo ti'n meddwl?' Edrychodd Owen ar y ferch oedd yn camu'n benderfynol tuag at y bar.

'*He who dares*, Owen bach,' dywedodd Huw yn dadol. 'Nawr, cer i lan at y bar, cadwa dy cŵl, a gofyn os lice hi gael drinc 'da ti.'

Rhewodd Owen. Fedrai e mo'i wneud e, ddim fel hyn! Wel, gallai esgus i Huw ei fod wedi siarad gyda hi, meddyliodd. Roedd torf digon mawr wrth y bar i ddrysu hyd yn oed llygaid barcud ei ffrind.

Cerddodd i fyny at y bar a gwthio'i ffordd i flaen y ciw. Gan ffugio nad oedd yn clywed cwynion y bobl eraill wrth y bar, llwyddodd i ddenu llygad y bar-mêd yn eitha cyflym. Safai'r ferch yn y ffrog lês wrth ei ymyl yn ddiamynedd, yn aros ei thro. Ciledrychodd arni – oedd, roedd hi'n bert iawn. Croen fel hufen, llygaid mawr gwyrdd, bronnau swmpus . . . Trueni nad oedd e'n ddigon o foi i ddechrau sgwrs 'da hi.

Cydiodd yn y ddau beint o Stella'n ofalus a cheisio'u cario'n ddiogel yn ôl at Huw ond, wrth iddo droi, teimlodd ergyd i'w gefn wrth i'r dorf wasgu'n agosach at y bar. Cyn iddo gael cyfle i wneud dim, roedd hanner ei beint Stella wedi arllwys dros ffrog y ferch bert. Damo! Damo! Pwyll, nawr Owen, falle y gallai hyn fod yn gyfle iddo ddechrau sgwrsio gyda hi.

'O sori, sori. Mae'n wir ddrwg gen i – ges i fy mhwsho gan rywun!' dywedodd Owen gan geisio osgoi'r demtasiwn o fopio'i bronnau gyda'i hen hances lwyd.

'Blydi hel, watsha be ti'n neud!' Gwgodd y ferch arno. Yn anffodus, welodd hi mo'r ochr ddoniol hyd yn hyn. O wel, dyma'i gyfle fe i ofyn a oedd hi isie diod.

'Gad i fi brynu drinc i chi, i wneud lan am y *mess*,' meddai gan wenu ei wên *mega-watt* arni yn y gobaith y byddai'n ei meddalu.

'Na, mae'n iawn, diolch, sa i isie risgo rhagor o ddamweiniau,' atebodd y ferch yn swta a throi'i chefn ar Owen.

Edrychodd arni am rai eiliadau gan sylwi ei bod yn fflyrtio gyda rhyw *muscle-man* a safai ben ac ysgwydd yn uwch na phawb arall wrth y bar. Doedd dim gobaith 'da fe os mai dyma ei theip hi, meddyliodd, a sleifiodd yn ôl at Huw yn siomedig.

'Dim lwc, boi?' holodd Huw yn llawn cydymdeimlad. 'Paid â becs, os mai'r blydi *himbo* 'na heb frein yw ei theip hi, ei phroblem hi yw hynny. Dwi wedi gweld jyst y peth i ni'n dou, do i gyda ti'r tro hwn rhag i ti arllwys mwy o ddiodydd dros ferched.' Amneidiodd Huw ei ben at ddwy ferch a safai ger y jiwc-bocs.

'Huw, pam ti'n dewis y *stunners* trw'r amser?' chwarddodd Owen wrth edrych ar y ddwy ferch hynod brydferth. Gwallt melyn oedd gan un, a hwnnw'n llifo'n sidan i lawr ei chefn brown rhywiol, ac wyneb bychan perffaith fel dol. Roedd gan y llall lwyth o gyrls duon wedi'u clymu'n ôl o'i hwyneb deniadol a gwisgai ffrog goch gwta amdani oedd yn dangos ei chorff siapus i'r dim. Gwisgai'r ddwy fŵts cowboi, ac anadlodd Huw allan yn chwantus, 'O, ac maen nhw'n gwisgo bŵts. Ti'n gwybod cymaint dwi'n hoffi merched mewn bŵts.'

Yn wir, cymaint oedd *fetish* Huw am ferched pert mewn bŵts nes iddo gael swydd rhan amser mewn siop esgidiau ar y penwythnosau. Yn anffodus, roedd y rhan fwyaf o'i gwsmeriaid yn hen fenywod cefngrwm oedd eisiau iddo eu helpu i drio bŵts croen-dafad esmwyth am eu traed corniog. Ond doedd hyn heb effeithio dim ar hoffter Huw o fŵts.

'Ma nhw mas o'n *league* ni, ocê?' Roedd Owen yn dechrau colli amynedd gyda'i ffrind. Roedd e'n meddwl ei fod e'n *God's gift* ond, mewn gwirionedd, doedd ei allu e 'da merched ddim lot gwell nag un Owen – ambell *shag* fach fan hyn a fan 'co, 'na'r cyfan.

'Mas o'n *league* ni, wir!' wfftiodd Huw. 'Wyt ti'n meddwl byddai Warren Beatty wedi bachu Madonna petai e wedi bod â'r un agwedd *defeatist* â ti? Hyder ma menywod yn 'i lico, Owen bach, hyder.'

'Hyder, ife?' holodd Owen. 'Ti'n gweud 'tho fi bod Madonna wedi cwmpo am Warren Beatty jest am ei fod e'n rili hyderus, nid am ei fod e'n filiwnydd pwerus yn Hollywood?'

'Ie, ond galle hi wedi cael *loads* o'r rheiny – rhai lot ifancach a mwy golygus a'r un mor *minted* â Beatty. Ond roedd y ffactor x gyda fe, t'wel. A 'na be sy gen i, y ffactor x.'

'Wel, dyw e ddim gyda fi,' atebodd Owen yn bendant.

'Owen bach, ma'r ffactor x 'da pawb, jyst gwybod shwd i'w sianelu fe, dyna'r tric. Nawr, watsia'r meistr, ac fe weli di'n go glou be wy'n feddwl.'

Cododd Huw o'i sedd a cherdded tuag at y jiwcbocs a'r merched, gydag Owen yn ei ddilyn yn anfodlon.

Roedd y merched yng nghanol dadl ynghylch pa gân i'w rhoi ar eu rhestr dewisiadau ar y jiwcbocs. Ymunodd Huw â'r sgwrs yn hyderus gan gynnig, 'Ferched bach, dim ond un gân sy'n bosib i chi ei dewis. Na phoener, mae'r ateb gen i.'

Trodd y ddwy i edrych arno'n syn. Gwenodd Huw arnynt yn gyfeillgar, a sylwodd Owen bod y ddwy'n eitha parod i wrando arno.

'Ie, fel llawer o feddylwyr cyfoes rydw i wedi treulio blynyddoedd yn astudio'r rysáit perffaith ar gyfer dewisiadau jiwcbocs. Ar ôl nifer o dreialon cymhleth a gwyddonol, a llawer o grafu pen ymhlith meddylwyr a gwyddonwyr mwyaf blaenllaw ein hoes, dim ond un opsiwn sydd . . .' Oedodd yn ddramatig gan godi'i aeliau fel Roger Moore ar ei fwyaf 'Bond-aidd'.

'Ie . . ?' holodd y ferch benfelen gan gyffwrdd yn ei fraich wrth aros am yr ateb.

'Gadewch e i'r meistr, ferched.' Safodd Huw o flaen y jiwcbocs yn ddramatig.

'Beth ddewisest ti?' gwichiodd y ddwy gyda'i gilydd.

'*Foxy* gan y brawd Hendrix, wrth gwrs.' Moes-ymgrymodd Huw o'u blaenau. Gwenodd y ddwy yn werthfawrogol, yn amlwg yn hapus gyda'i ddewis.

'Nawr 'te ferched, os hoffech chi ymuno â nghyfaill a minnau, cawn rannu'n darganfyddiadau cerddorol a llawer mwy gyda chi.'

Ac fel hudwr nadroedd, roedd Huw wedi llwyddo i'w mesmereiddio. Cerddodd y ddwy yn ufudd ar ôl Huw ac Owen at eu bwrdd.

'Huw ydw i, a dyma Owen.'

'Ceri.' Estynnodd y benfelen ei llaw i Huw. Cydiodd Huw ynddi a'i chusanu'n dyner foneddigaidd. Gwelodd Owen y gwrid yn codi ar fochau Ceri. Yffach, roedd gan Huw dalent wedi'r cwbl!

'Betsan,' meddai'r ferch dywyll a chynnig ei llaw hithau i Owen. Cydiodd Owen yn ei llaw yn swil a'i siglo'n wantan. Doedd ganddo fe ddim gronyn o hyder Huw i gusanu llaw Betsan, ond gwenodd hithau arno'n gynnes serch hynny.

Gwibiodd y noson heibio'n gyflym a'r pedwar yn mwynhau gêmau yfed amrywiol, o 'Fuzzy Duck' i 'Dwi erioed wedi . . .' Ceisiai Huw gael merched i chwarae 'Dwi erioed wedi . . .' bob tro. Roedd hi'n gêm ddigon syml. Byddai'r chwaraewyr yn cymryd eu tro i wneud datganiad gwir amdanynt eu hunain, er enghraifft, 'Dwi erioed wedi cael rhyw mewn lifft' a byddai pwy bynnag oedd wedi gwneud y weithred yn gorfod yfed lled bys o'u diod a phawb yn sgrechian chwerthin.

Wrth gwrs, roedd Huw wedi gwneud pob dim ym mhob man, ac roedd ei wydr ef yn wag ar ôl deng munud. Roedd Ceri hithau yr un mor fentrus, a'i gwydr hithau'n gwagio'n eithaf cyflym hefyd, tra bod Owen yn falch o weld bod Betsan yn debyg iddo ef, yn dipyn llai parod i gyflawni mabolgampau rhywiol mewn mannau anarferol. Barn Huw oedd bod 'Dwi erioed wedi . . .' yn ffordd dda o weld sut ferch oedd gyda chi, hynny yw a oedd hi'n gêm neu beidio. Heb os nac oni bai, roedd Ceri'n gêm. Doedd Owen ddim yn siŵr o Betsan; digwyddodd ychydig o fflyrtio rhyngddynt, ond roedd e'n rhy ansicr i fod mor agored â Huw, oedd yn teimlo coesau Ceri bob dwy funud ac yn ei chusanu'n ddi-baid yn ogystal.

Canodd y gloch *last orders* a chyhoeddodd Huw wrth y merched, 'Reit 'te ledis, dwi'n cynnig gwahoddiad i chi nawr, un a allai newid eich bywydau os byddwch chi'n ddigon dewr i'w dderbyn . . . Hoffwn eich gwahodd chi'ch dwy yn ôl i'm stafell i yn Senghennydd Towers i flasu cocteil mwya brawychus a gogoneddus y bydysawd . . . y *liver-chiller* . . .'

Eisteddodd y pedwar ohonynt ar erchwyn gwely Huw. Roedd e wrth ei fodd fel gwesteiwr. Roedd *glitter-ball* yn hongian yng nghanol y nenfwd, er i Owen ei rybuddio ei fod braidd yn ferchetaidd, ond mynnodd Huw bod y bêl yn rhan hanfodol o'i dechneg i swyno merched. Felly hefyd y blanced ffwr ffug ar ei wely. '*Tactile* iawn, t'wel; ma merched yn lico 'na,' oedd ateb Huw pan wnaeth Owen sylwadau dirmygus amdani.

Yn ogystal, roedd ganddo gasgliad helaeth o *liqueurs* ac alcohol i greu cocteils anghyffredin ac roedd ei rewgell fechan yn llawn iâ. Canai Marvin Gaye ar y chwaraewr crynoddisgiau, ac roedd canhwyllau wedi'u cynnau o gwmpas yr ystafell. Ar y muriau roedd lluniau chwaethus o Audrey Hepburn, Marilyn Monroe a Brigitte Bardot. 'Bydd y merched yn gwerthfawrogi'n nhast i,' dywedodd Huw'n sicr. Ystafell denu merched oedd hon yn ddi-os, nid ystafell oedd yn mynegi gwir bersonoliaeth, yn wahanol iawn i ystafell syml a blêr Owen.

'Oh my God!' chwarddodd Betsan, 'ma'r lle 'ma fel *boudoir* Hugh Hefner!' Rholiodd y merched o gwmpas ar y blanced ffwr yn hwtian chwerthin. Doedd Huw ddim yn meindio, roedd e wrth ei fodd, *'Liver-chiller,* ledis?'

Wedi llyncu nifer o'r *liver-chillers* dieflig (rysáit deuluol, gyfrinachol, mynnodd Huw; roedd Pernod a Tia Maria ymhlith y cynhwysion), teimlai Owen dipyn mwy hyderus a daliai ddwylo'n hapus gyda Betsan. Goglais Ceri ar y gwely oedd Huw pan sibrydodd Betsan yng nghlust Owen, 'Wy'n barod nawr.'

'Barod am beth?' holodd Owen yn hurt.

'Barod i ti ofyn i fi ddod yn ôl i dy stafell di.' Plygodd Betsan tuag ato a'i gusanu'n llawn ar ei wefusau crynedig. Cusanodd ef eto.

Rhwng y cusanau edrychodd Owen arni mewn sioc. Methodd gredu ei lwc, roedd hi mor bert. Diolch i Dduw am Huw a'i dechnegau rhyfeddol gyda merched.

'Welwn ni chi fory 'te.' Taflodd Owen y frawddeg yn ffug ddifater i ganol y stafell a cherddodd Betsan ac yntau tuag at y drws. Ni chafwyd ateb gan Huw am ei fod e a Ceri'n snogio'i gilydd yn wyllt ar y blanced ffwr.

Shit, dylai fod wedi twtio chydig ar ei ystafell, meddyliodd Owen wrth dywys Betsan yno, ond doedd e erioed wedi dychmygu y gallai rwydo'r fath ryfeddod. Agorodd y drws a'i ddwylo'n crynu. Roedd ei ystafell e'n gwbl wahanol i un Huw – lluniau o'i hoff fandiau ar y muriau; y Stone Roses, Nirvana a Bob Marley, a llun ei hoff seren ffilm, Winona Ryder. Roedd caniau cwrw gwag ar y llawr a blwch llwch yn llawn o hen sigaréts. Ciciodd y caniau o dan y gwely'n euog a gwacáu'r blwch llwch yn gyflym yn y bin tu fas.

'Sori, dyw hi ddim yn deidi iawn,' cyfaddefodd wrth gamu 'nôl i mewn i'r ystafell.

'Dere fan hyn.' Roedd Betsan eisoes i mewn rhwng cynfasau'r gwely. Symudodd Owen yn lletchwith tuag ati.

'Tynna dy ddillad,' anogodd Betsan ef yn garedig a thaflu'i bra ar lawr. Llyncodd Owen ei boer yn nerfus. O'r diwedd, daeth yr awr . . .

Deffrodd Owen y bore wedyn a'i ben yn curo'n uffernol. Cofiodd yn sydyn beth oedd wedi digwydd y noson cynt. Na, breuddwyd oedd y cyfan, mae'n siŵr. Yna gwelodd ben cyrliog tywyll Betsan wrth ei ochr a chofiodd am ei hwyneb tlws. Wel, roedd Huw yn iawn am un peth, mi *oedd* rhyw yn anhygoel. Ac roedd Betsan yn berffaith . . .

Yn sydyn, fel petai hi'n synhwyro ei fod yn ei gwylio, deffrodd Betsan yn araf a rhwbio'i llygaid. Syllodd ar Owen am rai eiliadau heb ddweud gair, yna dechreuodd ymbalfalu am ei dillad.

'Sut wyt ti'n teimlo?' holodd Owen, braidd yn siomedig nad oedd Betsan wedi ei gyfarch â chlamp o gusan. Gobeithiai gael mwy o ryw, gan nad oedd yn medru cofio llawer am brofiad neithiwr. Ond gwyddai eu bod wedi 'gwneud y gwneud' fel byddai Huw yn ei ddweud gan fod y condom a ddefnyddiodd yn dystiolaeth lipa ar lawr ger y gwely.

'Fel *shit*,' ynganodd Betsan yn boenus araf a chamu'n betrus o'r gwely i wisgo'i ffrog amdani.

'Ti isie mynd i rywle am goffi?' holodd Owen yn obeithiol.

'Well i fi beidio,' atebodd Betsan yn gyflym. 'Dwi'n teimlo'n *crap*, a ches i ddim llawer o gwsg. Ddo i draw ar ôl i fi gysgu am dymed bach.'

Rhoddodd Betsan gusan ysgafn ar ei foch cyn mynd allan o'r ystafell. Gwenodd Owen iddo'i hun; roedd ganddo gariad o'r diwedd.

Mae'n rhaid ei fod wedi syrthio i gysgu, achos deffrodd mewn panic yn meddwl ei fod yn boddi wrth deimlo gwlybaniaeth ar ei wyneb. Uwch ei ben safai Huw yn crechwenu ac yn dal gwydraid o ddŵr yn ei law.

'Wel, wel, 'co fe, Casanova'i hunan. Wy'n cymryd y gallwn ddweud *mission accomplished* yn y *pants department*?' dywedodd Huw gan edrych ar y condom llawn ar y llawr.

Dringodd Owen allan o'r gwely yn araf, gafael yn ofalus yn y condom a'i luchio i'r bin. Gwenodd ar Huw, 'O'dd hi'n ffantastig.'

'Gwd,' oedd yr unig beth oedd gan Huw i'w ddweud. 'Nawr, ma Ceri a fi'n mynd i'r City Arms am chydig o *hair of the dog*. Ti'n ffansi dod?'

'Well i fi beidio, ma Betsan yn dod 'nôl yn nes mlaen.'

'Gad nodyn ar y drws yn dweud lle rwyt ti. Smo ti'n moyn hongian ambiti fan hyn fel *idiot* trwy'r dydd wyt ti?'

'Ma *hangover* ar y diawl gen i, a sa i'n credu alla i stumogi mwy o gwrw eto.'

'Ocê, Tad-cu. Cer 'nôl i dy wely a dere lawr i'r pỳb 'da Betsan wedyn 'te.'

Diflannodd Huw; edrychai mor iach â chneuen, heb arlliw o *hangover* i'w boeni. Sut?

Llusgodd y prynhawn heibio'n boenus o araf, ac

erbyn chwech o'r gloch roedd Owen yn dechrau colli amynedd. Penderfynodd fynd i'r City Arms rhag ofn fod Betsan yno. Roedd e'n ysu am ei gweld unwaith eto.

Cafodd gawod gyflym a gwisgo'i grys a jîns Levis newydd amdano. Teimlai ei *hangover* dipyn yn well erbyn hyn, ac roedd e eisiau bwyd yn ofnadwy. Falle y gallai awgrymu wrth Betsan eu bod yn mynd mas am bryd bach gyda'i gilydd heno, yn lle yfed yn ddienaid trwy'r nos. Y tro hwn, roedd e eisiau cofio cael rhyw gyda hi!

Pan gyrhaeddodd Owen y dafarn, roedd yn amlwg bod Huw a Ceri'n cael amser da gyda'i gilydd. Ond, er mawr siom iddo, doedd Betsan ddim gyda nhw. Aeth at y bar i nôl peint, a thra oedd yn sefyll yno, gwelodd hi – roedd hi'n eistedd gyda boi arall. Brawd, ffrind neu beth?

Cerddodd draw at y bwrdd gyda'i galon yn curo'n gyflym. Ie, rhaid mai brawd oedd e – roedd ganddo yntau wallt tywyll cyrliog.

Cododd Betsan ei phen, a phan welodd Owen yn sefyll gerllaw, gwelwodd a symud yn anghyfforddus yn ei sedd.

'Haia Betsan.' Roedd Owen yn ansicr beth ddylai ei ddweud neu wneud.

'O haia, Owen,' meddai Betsan yn chwithig. 'Dyma ngharıad i o adre, Wil. Wil, dyma Owen, ffrind i Ceri.'

'Haia mêt,' cyfarchodd Wil ef yn ddifater gan droi 'nôl at Betsan gyda chariad amlwg yn ei wyneb. Edrychodd Betsan ar Owen am eiliad, a'i llygaid yn dangos dim, yna trodd hithau i edrych ar Wil.

Cerddodd Owen allan o'r dafarn, ei galon yn deilchion. Roedd ganddi gariad yn barod! Pam oedd hi wedi cysgu gyda fe, 'te?

'Owen!' Clywodd lais Huw yn gweiddi arno o bellter niwlog, ac arafodd ei gam ychydig.

'Owen 'chan!' Rhedodd Huw tuag ato, a gafael yn ei fraich.

'Gronda boio, wy'n rili sori. O'n i ddim yn gw'bod bod cariad 'da hi nes i Ceri weud wrtho i ei fod e wedi troi lan yn annisgwyl pnawn 'ma.'

'Ma'n ocê,' dywedodd Owen yn dawel, yn ceisio cuddio'i siom.

'Ddo i draw i dy weld di'n nes mlaen. Fyddi di'n iawn, yn byddi di?'

'Wrth gwrs bydda i. Siapa hi 'nôl at Ceri. *One-night stand*, 'na i gyd o'dd e. Cer nawr!' meddai Owen yn ysgafn.

'Ie, dyna beth yw bywyd Coleg,' chwarddodd Huw mewn rhyddhad. 'Llwyth o *crazy one-night stands*.' Roedd popeth yn iawn. 'Ac o leia ti 'di colli dy *cherry* di o'r diwedd!' Taflodd winc frawdol at Owen a dychwelodd Huw i gynhesrwydd breichiau'r City Arms.

Gwenodd Owen yn wan ar gefn Huw'n diflannu i'r dafarn, yna trodd ar ei sawdl a cherdded yn araf yn ôl i'r neuadd breswyl. Gorweddodd yn ddiflas ar ei wely sengl. Aroglai bersawr Betsan ar ei obennydd. Byddai'n rhaid iddo ddysgu peidio â syrthio am fenyw'n syth bìn. Rhaid oedd bod yn debycach i Huw, yn *player* nid rhyw hen *drip* sopi. Roedd e'n ddeunaw oed wedi'r cyfan, ei holl fywyd o'i flaen, wedi profi ei fod yn gallu tynnu merch bert a pherfformio'n rhywiol. O hyn allan, fe fyddai'n hela merched am sbri ac am *good shag, no strings* – byth, byth eto am gariad.

Pennod 3

Mari: Mr Moethus
1999

Eisteddai Mari yn gawdel o nerfau yn nerbynfa stiwdios teledu Rownd y Rîl. Roedd hi wedi llwyddo i gyrraedd rhestr fer swydd Is-Olygydd yr Adran Ddrama ac yn benderfynol o'i chael. Roedd hi wedi gwisgo'n ofalus mewn siwt smart pinstreip o Topshop ac wedi gwario ffortiwn ar ei gwallt y diwrnod cynt yn Tony a Guy. Rownd y Rîl oedd *y* cwmni teledu yng Nghaerdydd i weithio iddyn nhw. Roedden nhw'n derbyn y rhan helaeth o'r comisiynau gan y darlledwyr mawr, a byddai'n gyfle arbennig iddi hi ddechrau ar ei gyrfa lwyddiannus.

Edrychodd ar y dyn oedd yn eistedd nesaf ati; roedd yn amlwg bod y boi'n nerfus, a'i fod yntau'n aros am gyfweliad. Sylwodd ar ei ddwylo'n crynu wrth iddo geisio'n wrol i ddarllen hen rifyn o *Golwg*. Edrychai'n gyfarwydd iddi am ryw reswm. Gobeithio nad oedd hi wedi cael ffling 'da fe'n y coleg. Na, cysurodd ei hun, byddai'n ei gofio pe bai wedi cysgu gydag e, does bosib!

Synhwyrodd ef ei bod hi'n edrych arno a chododd ei lygaid i edrych arni. 'Ti'n mynd am y swydd Is-Olygydd Drama?' gofynnodd.

Wel, man a man iddi weld pwy oedd y gystadleuaeth. Ac a dweud y gwir, mi oedd e'n eitha ciwt, gyda'i frychni haul a'i lygaid mawr duon.

'Ym . . . ydw. Wy'n *nervous wreck,*' cyfaddefodd gan wenu'n lletchwith.

'Dy gyfweliad cynta di yw hwn?'

'Ie, newydd orffen cwrs Mentro,' dywedodd yn dawel. 'A chithe?'

'A . . . Ie, trio bod yn stiwdant am gyn hired ag sy'n bosib,' cytunodd.

Daeth rhywun arall i mewn i'r ystafell a thynnwyd sylw Mari gan ddyn yn eistedd wrth ei hochr. Yffach! Roedd hwn yn olygus! Gobeithio i'r nefoedd nad oedd e'n mynd am y cyfweliad hefyd! Gwisgai siwt gostus, *designer* yn amlwg, ac roedd yn tynnu at ei dri deg amcangyfrifodd Mari. 'Run sbit â Christian Slater, meddyliodd gan ei lygadu'n slei.

'Cyfweliad 'da chi oes e?' holodd y dyn gan wenu'n gynnes ar Mari.

'Ydy e'n amlwg?' holodd Mari gan droi ei chorff tuag ato.

'Ma golwg ŵyn bach yn mynd i'r lladd-dy arnoch chi,' chwarddodd y dyn mewn llais uchel, hyderus, gan ddangos rhes o ddannedd gwyn.

'Peidiwch â gweud bo chi'n mynd am yr un swydd?' Fyddai dim gobaith caneri gyda hi wedyn.

'Na, dwi yma am gyfarfod gyda'r Bòs Mawr. Fi yw ei gyfreithiwr e,' dywedodd e'n slic. 'Rhodri, Rhodri Jones.'

'Mari Roberts.' Teimlai Mari fel petai'n cyflwyno'i hun ar raglen gwis.

'Wel, Mari,' meddai Rhodri'n dawel yn ei chlust. 'Os hoffech chi drafod sut aeth y cyfweliad yn nes mlaen dros ddiod, rhowch alwad i fi.' Gwasgodd ei garden busnes i mewn i'w llaw chwyslyd.

Doedd hwn ddim yn credu mewn gwastraffu amser. Daeth y derbynnydd ffroenuchel i'w chasglu i fynd i'r cyfweliad a gwenodd ar Rhodri wrth gerdded o'r dderbynfa. Fe wnaeth e arwydd ei fod yn croesi'i fysedd drosti. Gwenodd Mari iddi'i hun; oedd, roedd ei siwt a'r steil gwallt newydd yn werth pob ceiniog!

Chafodd Mari mo'r swydd. A bod yn onest, roedd hi'n eitha balch gan fod y fenyw roddodd gyfweliad iddi'n ymddangos fel rial hen ast, a doedd hi ddim wedi dangos gronyn o ddiddordeb yn nhestun MPhil Mari, *Effaith y Dirwasgiad Economaidd ar Ffilmiau'r 30au*. Roedd ganddi bellach rywbeth gwell o lawer – cariad soffistigedig a cŵl – Rhodri. Heno oedd eu trydydd dêt, ac edrychodd Mari ar ei hadlewyrchiad am y canfed tro. Roedd y ffrog patrwm croen llewpart cwta'n teimlo fel syniad da iawn yn y siop, ond nawr, doedd hi ddim mor siŵr.

'Ti'n meddwl ei bod hi'n rhy fyr?' holodd hi Sara oedd yn eistedd ar wely Mari'n darllen *Cosmo*.

'Mae'r coesau 'da ti i'w chario hi, a bydd Rhodri'n dwlu arni,' cododd Sara ei phen o'r cwis rhyw roedd hi'n ceisio'i gwblhau.

'Ie, ond dwi ddim isie fe i feddwl mod i'n . . .'

'Be? Gwisgo ffrog fer ar adegau? Gronda, ti 'di bod mas gyda fe dair gwaith nawr, a ti'n gwybod be sy'n dod nesa.'

'Smo fi'n siŵr os wy'n barod.'

'Sdim isie i ti hastu, sbo, ond os wyt ti isie creu argraff, wel, mae'r ffrog 'na'n ffordd dda o fynd o'i chwmpas hi!'

'Reit! 'Na ni! O'n i'n gwybod ei bod hi'n rhy fyr!' ymatebodd Mari'n bigog gan stryffaglu i dynnu'r ffrog. ''Sdim pwynt i fi 'i gwisgo hi os nad wy'n teimlo'n gyfforddus. Wy'n mynd i wisgo'n ffrog ddu; ma honno'n neis ond ddim yn rhy tarti.'

'Iawn ond siapa hi, mae'n chwarter wedi saith nawr!'

Teimlai Mari dipyn yn fwy cartrefol yn ei ffrog ddu. Pe gallai'r ffrog hon siarad, byddai nifer o straeon difyr ganddi i'w hadrodd. Bu'n ffrind ffyddlon iddi am sawl blwyddyn; dangosai rywfaint o'i bronnau heb fod yn rhy awgrymog, roedd hi'n *classy* ac roedd Rhodri'n ddyn *classy* iawn. Doedd hi ddim eisiau iddo fe feddwl ei bod hi'n drwmpen.

Rhodri. Methai Mari gredu ei bod wedi llwyddo i fachu'r fath bishyn. Ers eu coffi cyntaf, roeddent wedi cyfarfod ddwywaith, y tro cyntaf yn y sinema a'r eildro mewn tŷ bwyta. Ar y ddau achlysur, bu Rhodri'n ŵr bonheddig perffaith; heblaw am un *snog* go danbaid, doedd e erioed wedi gwneud unrhyw gynnig anweddus, ond gwyddai Mari go iawn mai heno oedd y noson . . .

Heblaw am gwpl o *flings* yn ei hugeiniau cynnar, pennodd Mari'r trydydd dêt fel yr amser delfrydol i ddechrau perthynas rywiol, roedd hi'n henffasiwn yn hynny o beth. Erbyn hynny, fel arfer, roeddech wedi dysgu digon am y boi i wybod a fyddai dỳd neu'n stỳd. Ac roedd pethau'n argoeli'n dda ar gyfer Rhodri.

Heno, roedd y ddau am gwrdd yn ei fflat yn y Bae ac roedd e'n coginio hefyd. Yn sicr, byddai'r bwyd yn soffistigedig ac yn flasus; roedd Rhodri'n dda ym mhopeth roedd e'n ei wneud. Yn sengl, yn dri deg dwy mlwydd oed ac yn gyfreithiwr gyda chwmni llewyrchus yn y dref, yn wir roedd popeth ganddo. Hiwmor, wyneb a chorff hynod atyniadol, a chwaeth dda mewn ffilmiau a cherddoriaeth.

Ond a oedd hi'n wirioneddol barod i gysgu gydag e? Meddyliodd am hyn. Roedd y ffaith ei bod wedi rhoi pecyn o gondoms yn ei bag yn awgrymu ei bod hi. A phetai Mari'n hollol onest, bu'n breuddwydio am gael rhyw gyda Rhodri byth ers eu cyfarfod cyntaf. Doedd hi ddim wedi cysgu gyda neb ers chwe mis, ac fel y dywedodd Sara'n blwmp ac yn blaen, roedd angen dyn arni, *big time*. Gobeithiai y gallai gyrraedd at yr her gyda Rhodri; roedd e mor aeddfed a phrofiadol, a hithau'n dal i fod yn eitha swil rhwng y cynfasau.

Arhosodd y tacsi y tu allan i'r fflatiau newydd yn y Bae. Yn naturiol, roedd Rhodri'n byw yn y *penthouse* ar y llawr uchaf. Ffrydiodd rhyw gynnwrf disgwylgar drwyddi wrth gerdded tuag at ei ddrws. Doedd hi ddim wedi bod yn ffau'r llew hwn o'r blaen, ond roedd hi'n siŵr y byddai ei fflat, fel yntau, heb flewyn mas o'i le . . .

'Mari,' gwenodd Rhodri'n groesawgar wrth agor y drws. Edrychai'n grêt – gwisgai grys-T glas tywyll tyn a jîns Diesel. Teimlai Mari'n falch ei bod wedi gwisgo'r ffrog ddu. Byddai wedi edrych fel rial *slapper* petai wedi gwisgo'r ffrog patrwm croen llewpart.

Dilynodd Rhodri i mewn i'r fflat gan geisio peidio â rhythu o'i chwmpas yn ormodol. Fel roedd hi wedi'i ddisgwyl, roedd ei gartre'n foethus ac yn chwaethus. Dodrefn du minimalistig yn yr ystafell fyw, a lluniau celf *abstract* ar y muriau gwyn, ac yn y gornel eisteddai teledu mawr crand. Roedd hi'n amlwg fod gan Rhodri ddigonedd o arian. Sylwodd ei fod wedi cynnau canhwyllau ar y bwrdd bwyta bychan, a hwnnw wedi'i osod fel bwrdd mewn tŷ bwyta pum seren.

'Dere â dy got.' Tynnodd Mari ei chot a'i hestyn iddo.

'Ffindest ti'r lle yn iawn, 'te?' holodd o'r gegin gan dywallt gwydraid o win yr un iddynt.

'Do, diolch. O'dd y boi tacsis yn nabod y lle yn iawn. Ma'r fflat 'ma'n hyfryd, Rhodri.'

'Diolch. Ges i'r glanhawyr i mewn i wneud yn siŵr bod popeth yn berffaith ar dy gyfer di.'

Gwenodd Mari gan ddiolch nad oedd Rhodri'n medru gweld cyflwr ei hystafell wely hi. O ganlyniad i'w magwraeth mewn tŷ lle roedd ei mam yn ffanatig obsesiynol am lanhau, roedd agwedd Mari at gymenu'n eitha hamddenol, a dweud y lleiaf.

Eisteddodd Rhodri ar y soffa ledr ddu, ac eisteddodd Mari wrth ei ochr. Roedd Billie Holiday'n canu'r felan ar y stereo ac roedd Mari yng nghwmni dyn golygus, gwydraid o win da, a noson bleserus yn ymestyn o'i blaen.

'Ti'n edrych yn lyfli.' Gwenodd Rhodri arni. Cusanodd hi'n llawn teimlad. Teimlai chwant yn trydanu trwyddi gyda'r gusan. Wrth gwrs y byddai'n cysgu gyda fe heno, a dechreuodd obeithio'n daer y byddai'r swper yn un cyflym! Ac yn union fel petai e wedi darllen ei meddwl, dywedodd Rhodri'n isel, 'Mae'n rhaid i ti faddau i fi, dwi ddim yn coginio rhyw lawer y dyddiau 'ma ond dwi wedi paratoi wystrys i ni, yna *risotto*, a gobeithio dy fod ti'n hoffi *tiramisu*.'

'Fy hoff bwdin . . .' Gwyddai Mari na fyddai ond yn bwyta cyfran maint pryd cwningen rhag iddi besgi a bod fel hen wraig dew yn rhechen rhwng y cynfasau'n nes ymlaen!

Roedd y bwyd – fel Rhodri ei hun – yn ddi-fai. Cafodd Mari ei thrin hi fel brenhines, llanwyd ei gwydr yn gyson a derbyniodd ganmoliaeth ddi-baid. Dyma ddyn soffistigedig, llwyddiannus a golygus oedd yn ei gwerthfawrogi, ac roedd e fel manna o'r nefoedd i Mari ar ôl *losers* dyddiau coleg.

'Beth wyt ti'n moyn mewn perthynas, Mari?' holodd Rhodri tra oedd hi'n claddu'i llwy yn ei *tiramisu* yn awchus, fwytaodd hi fawr ddim o'r wystrys na'r *risotto*.

Edrychodd Mari ar ei lygaid tywyll a phendroni am sbel cyn ateb. Clywai lais Sara yn ei phen yn dweud, 'Paid â dweud priodas a setlo lawr, er mwyn dyn, neu fe fydd e fel y Road Runner, yn ei heglu hi am y mynyddoedd.'

'Dwi isie rhannu'n amser gyda rhywun sy'n gallu dysgu rhywbeth i fi am fywyd, rhywun dwi'n mwynhau treulio amser yn ei gwmni . . .' *A rhywun sy'n edrych fel Johnny Depp ac sy'n meddwl mod i'n ffycin ffantastig*. Cyflawnai Rhodri'r briff hwn i'r dim.

'Wel, ry'n ni'n adar o'r unlliw 'te, Mari.' Gwenodd Rhodri'n llesmeiriol. 'Mae mor anodd ffeindio rhywun sy ar yr un donfedd y dyddie 'ma. Synnet ti faint o ferched sy'n *bunny boilers* neu, yn waeth byth, sy jyst isie dyn gydag arian!'

Chwarddodd Mari gydag e, er i'w chydwybod ei phigo pan soniodd am arian. Roedd yn rhaid iddi gydnabod bod safon ac arddull bywyd Rhodri yn atyniadol iawn iddi hi gan ei bod, fel y datganodd ei mam un tro, ond yn tynnu 'llygod eglwys'; dynion artistig di-siap heb geiniog yn eu pocedi y gallai hi ofalu'n famol amdanynt. Ond am unwaith, roedd hi wedi bwrw'r jacpot.

'Dwi'n annibynnol iawn,' dywedodd Mari'n ysgafn. 'Dwi ddim isie bod yn wraig sy'n byw ar gyflog ei gŵr. Dwi isie gwneud rhywbeth, cael gyrfa, ennill fy arian fy hun.'

'Allet ti fod yn fwy perffaith?' ochneidiodd Rhodri a'i thynnu tuag ato ar y soffa. Agorodd botel o siampên yn gelfydd a thywallt y bybls euraidd i'w gwydryn.

'I ti a fi, eneidiau hoff cytûn,' dywedodd Rhodri.

'Eneidiau hoff cytûn,' adleisiodd Mari yn teimlo wedi'i chyfareddu, cymaint oedd nerth ei hatyniad tuag ato.

'Reit, amser am hen glasur nawr . . .' meddai Rhodri gan roi CD newydd yn y stereo. Daeth llais swynol Doris Day, 'Move Over Darling' i lanw'r ystafell a gofynnodd Rhodri iddi'n dawel, 'Hoffech chi ddawnsio, Madam?'

Cododd Mari ac ildio i'w freichiau'n hapus. Oedd, roedd Rhodri'n union fel hi – yn dwlu ar gerddoriaeth *retro*, yn rhamantus, yn olygus . . . Teimlai fel petai hi mewn ffilm ramant o'r pumdegau. Rhodri oedd Cary Grant a hi oedd Grace Kelly . . . Cusanodd y ddau.

Daeth y gân i ben a dywedodd Rhodri'n ysgafn, 'Reit, beth am ffilm fach i ni wylio 'da'n gilydd?'

Cytunodd Mari'n frwd, er ei bod hi eisiau mynd i'r gwely, ond roedd hi'n cymaint o ffanatig ffilm, fel ei bod hi'n hapus i wylio un o glasuron Hitchcock cyn mynd am y foment fawr.

Eisteddodd y ddau ar y soffa a chliciodd Rhodri fotwm y chwaraewr fideos. Setlodd Mari wrth ei ochr gan orffwys ei phen ar ei ysgwydd. Daeth *credits* y ffilm ar y sgrin: Foxy Productions, ac yna'r teitl, *Orifice Management.* Cododd Mari ei phen yn siarp, edrychodd ar Rhodri a gweld bod ei lygaid tywyll wedi'u hoelio'n llwyr ar y sgrin fawr, fel petai wedi ei hypnoteiddio. Daliodd Mari i edrych ar y sgrin gan obeithio mai comedi ramantaidd oedd *Orifice Management.*

Daeth yr olygfa gyntaf ar y sgrin ac fe gadarnhawyd ei hamheuon. Nid ffilm Hitchcock oedd hi, jyst 'cock'! Ffilm bornograffig arw wedi'i lleoli mewn swyddfa, a gwaeth fyth, un wael a rhad yr olwg hefyd, gydag 'arwr' y stori yn ddyn bochgoch, boliog gyda thásh mawr du, *side-burns* blewog a wìg amlwg ar ei ben. Gwisgai siwt fusnes amdano a honno'n edrych fel petai ar fin byrstio; roedd ei bidyn yn galed ac yn amlwg yn ceisio dianc o'i drowsus tyn hefyd.

Daeth ysgrifenyddes *Page 3*-aidd yr olwg i'r siot, yn teipio wrth ei ochr. Edrychai hon yn gwbl ddiniwed, heblaw am y ffaith bod ei bra yn hongian allan o'i blows a bod sawl haen o *fake tan* ar ei hwyneb; gwisgai sbectols mawr du i ychwanegu at ei 'chymeriad' fel ysgrifenyddes swyddfa, ac roedd ei gwallt wedi'i glymu mewn 'bỳn' tynn.

'Cymerwch hyn lawr, Miss Jones,' dywedodd y dyn mewn llais Americanaidd cawslyd.

'Iawn syr,' atebodd yr ysgrifenyddes, codi o'i desg a cherdded tuag at y dyn a phlygu i lawr o'i flaen. Tynnodd ei bidyn allan o'i drowsus a dechrau sugno'n eiddgar. Datododd yntau'r bỳn ar ei phen nes gwneud i'w gwallt perocseid melyn syrthio'n llif orgasmig i lawr ei chefn.

Aeth cwpwl o funudau heibio tra oedd Mari'n pendroni beth ddylai hi ei wneud. Roedd yr olygfa mor rhywiol ag angladd plentyn. Bellach roedd y ferch yn gwbl noethlymun a'i bronnau bach eiddgar yn bownsio'n yr awyr wrth i'r anghenfil tásh-tastig ei shagio o'r cefn.

Ciledrychodd ar Rhodri a gweld y cynnwrf amlwg ar ei wyneb. Dechreuodd anadlu'n ddwfn hefyd. Griddfanodd Mari'n fewnol. A hithau wedi meddwl ei fod e'n berffaith ym mhob ffordd! Trodd yn ôl at y sgrin. Ai hi oedd y broblem? Oedd hi'n rhy blwyfol, yn rhy biwritanaidd? Wedi'r cwbl, roedd miliynau o bobl yn mwynhau bywyd rhywiol naturiol a normal ac yn gwylio *porn* yn gyson. Ond wrth i'r olygfa ar y sgrin barhau, gyda dwy ferch arall yn ymuno yn yr 'hwyl' ac un dyn mawr cyhyrog gyda'r pidyn mwyaf anferthol a welodd erioed y tu allan i stabal geffylau, gwyddai Mari i sicrwydd nad oedd hyn yn apelio ati o gwbl.

'Ym . . . Rhodri?'

'Mmm?' murmurodd Rhodri gan oglais ei braich yn ysgafn a'i lygaid wedi'u hoelio i'r sgrin.

'Sori mod i mor sgwâr, ond, wel, dwi ddim yn rili'n licio *porn*.'

'Be?' Trodd Rhodri i edrych arni'n syn. 'Paid â bod yn sofft, w. Ma pawb yn licio *porn*, hyd yn oed merched sy'n dweud bo' nhw ddim!'

'Na, wel, dyw e'n gwneud dim byd i fi . . . Se nhw'n olygus fe fyddai'n rhywbeth . . .'

Roedd Mari wedi cael ei suo i bleserau orgasmig droeon wrth wylio Brad Pitt yn arddangos ei gampau corfforol yn *Thelma and Louise* ac wedi cael sawl breuddwyd bleserus am Gary Oldman fel Draciwla (y Draciwla ifanc wrth gwrs ac nid yr hen sugnwr gwaed echrydus), yn dod i'w hystafell wely ar noson olau leuad. Ond roedd cymeriadau *porno* a edrychai fel ffoaduriaid o hen *sitcom* o'r saithdegau, yn hen gocs a thits blinedig ymhobman, yn gwneud dim iddi.

'Ma digon o dapiau eraill 'da fi,' meddai Rhodri gan neidio ar ei draed yn eiddgar, yn amlwg gan feddwl mai'r ffilm ei hun oedd ar fai, nid y math o ffilm.

Agorodd gwpwrdd diniwed yr olwg o dan ei stereo ac yno gwelodd Mari gasgliad enfawr o fideos.

'Be am *Hannah Does Her Sisters* neu *The Loin King*? 'Co, ma *Beddman and Throbbin* fan hyn? Ma dynion rili golygus yn hwnna!'

'Dyw e jyst ddim yn gwneud dim i fi, sori,' mwmialodd Mari gan fethu edrych i mewn i'w lygad.

'Digon teg,' dywedodd Rhodri'n swta, ddiffoddodd y sgrin a rhoi'r stereo'n ôl ymlaen. Ond erbyn hyn, roedd Doris Day wedi colli ei hud. Plygodd Rhodri i'w chusanu, ac er iddi ei gusanu'n ôl gwyddai Mari na fyddai'n ymuno ag e yn ei ystafell wely heno nac yn y dyfodol chwaith. Nawr, sut i adael gyda'i hurddas a'i hego'n gyfan . . .

'Dere 'ma.' Gafaelodd Rhodri yn ei llaw a'i gosod ar ei gopish. Roedd ei bidyn yn galed fel haearn. Nawr, roedd Mari ar goll yn llwyr – beth oedd hi i fod i wneud? Gwasgu ei bidyn? Ei fwytho fel anifail anwes? Wel, doedd hi ddim am ail-greu sefyllfa allan o *Orifice Management* roedd hynny'n sicr, felly dywedodd yn dawel, 'Sori Rhodri, ond dwi'n meddwl bod yn well i fi fynd adre nawr, mae gen i waith yn bore.' A symudodd ei llaw oddi ar ei drywsus yn ofalus, ofalus fel petai'n neidr ar fin ei brathu.

'Beth?' chwarddodd Rhodri. 'Ti'n chwarae *hard to get* wyt ti? Ti 'di bod yn begian am ryw trwy'r nos gyda'r llygaid mawr ci bach 'na! Beth sy 'di newid mor sydyn?'

'Jyst ddim yn barod 'na i gyd.' Cododd Mari o'r soffa a gafael yn ei bag. 'Diolch yn fawr am y pryd bwyd, roedd e'n hyfryd. Mae gen i waith yn y bore . . .'

'Ti'n rial *cock-tease*, ti'n gwybod 'ny?'

Sylwodd Mari fod gwythïen fawr yng ngwddw Rhodri'n pwmpio gwaed yn wyllt ac yn edrych yn hyll o fawr. 'Ti'n lwcus mod i'n ŵr bonheddig neu gallet ti fod mewn rial trwbwl yn bihafio fel hyn!'

Cododd hyn wrychyn Mari'n syth ac atebodd yn ddiflewyn-ar-dafod. 'A ti'n meddwl byddai unrhyw ferch gyda thamed o sens eisiau cael rhyw gyda ti ar ôl gwylio *saddos* cast *Hi-De-Hi* yn shagio'i gilydd yn y pen-ôl? Rhamant dwi eisiau, nid *arse action*!'

'*Frigid*, dyna dy broblem di, Mari!' gwaeddodd Rhodri.

'Rhaid i ni gytuno i anghytuno, felly, Rhodri,' atebodd Mari'n sych. Roedd hi wedi cael llond bol ohono fe, ei fideos a'i ddadlau gwag. 'Nawr, mi gymera i nghot – wy'n mynd adre.'

Aeth Rhodri i mofyn ei chot a'i wyneb mor ddiflas â thîn bwldog. Lluchiodd y dilledyn tuag ati'n ddi-seremoni. 'Diolch,' meddai Mari a symudodd tua'r drws, ei agor a chamu drwyddo'n smart. 'Joia dy ffilmie, *saddo*!' ychwanegodd wrth i ddrws y fflat gau â chlep y tu ôl iddi.

Pan adroddodd y stori wrth Sara a Helen ar ôl cyrraedd adre, â'i thymer yn dal i ferwi, sylwodd fod ei dwy ffrind yn eu dau ddwbl a phlet yn chwerthin.

'Pam y'ch chi'n chwerthin?' holodd Mari mewn penbleth. 'Ma mywyd carwriaethol i'n llanast llwyr!'

'O . . . Mari!' Roedd bochau Helen yn wlyb gan ddagrau hysteria. 'Dim ond ti allai gael y fath anturiaethau! *Beddman a Throbbin*! Gwych!' Ac roedd y ddwy yn eu dyblau unwaith eto.

'Ie, a *Hannah Does Her Sisters*!' ychwanegodd Sara gan dagu chwerthin o'r soffa.

'Ocê, ocê,' cytunodd Mari, a'r wên yn dechrau lledu ar draws ei hwyneb hithau. 'Mi fydd hi'n stori ddoniol i'w hailadrodd un diwrnod, ond ddim eto!'

Nodiodd y ddwy eu pennau'n ffug-ddifrifol gan geisio stopio chwerthin.

'Reit, 'te, Mari,' cysurodd Helen hi'n famol. 'Beth am baned bach neis o de a *chick-flick*?'

'Ocê.' Setlodd Mari ar y soffa'n ufudd.

'Ie,' dywedodd Sara gyda winc i gyfeiriad Helen. 'Es i i Blockbusters heno, ac o'dd 'da nhw ffilm fi 'di bod yn aros am hydoedd i'w gweld hi . . .'

'O ie.' Doedd gan Mari ddim diddordeb go iawn.

'Dwi'n gwybod y byddi di wrth dy fodd gyda hi . . . *Saturday Night Beaver*!'

Ac unwaith eto roedd ei dwy ffrind yn ddiymadferth yn eu dyblau. 'O diolch yn fawr, ferched, am eich cefnogaeth!' dwrdiodd Mari er ei bod hithau ar fin chwerthin hefyd.

'Wel, ti wedi dysgu gwers arall, Mari,' dywedodd Sara wrthi'n ffug ddifrifol.

'Beth yw honno? Peidio trystio'r un dyn achos ma nhw i gyd yn *freaks*?' awgrymodd Mari.

'Wel, ddim cweit. Dwi'n meddwl mai'r dywediad mwyaf addas fyddai, "Nid aur yw popeth melyn". Bydda'n onest, o't ti'n ffansïo'r twlc yn fwy na'r mochyn yn doeddet?'

'Ac o'dd y mochyn yn rial hen fochyn hefyd.'

Dechreuodd y tair chwerthin a chwerthin nes eu bod nhw'n wan.

Welodd Mari mo Rhodri am rai misoedd wedi'r noson honno nes iddi ei weld allan un nos Sadwrn. Edrychai mor *suave* ag erioed yn ei siwt drwsiadus wrth sgwrsio'n fywiog â merch ifanc oedd yn edrych fel petai hi newydd dderbyn tocyn rhad ac am ddim i'r nefoedd. Gwyddai Mari mai mater o amser fyddai hi cyn i Rhodri ddatgelu ei *Beverley Hills Cock* i'r greadures. Jyst gobeithio y byddai ei goncwest newydd yn rhannu'r un chwaeth ag e mewn ffilmiau'r tro hwn.

Owen: Mrs Robinson
1999

Eisteddai Owen, a'i nerfau'n rhacs, yn nerbynfa Cwmni Teledu Rownd y Rîl. Roedd hi'n wyrth ei fod e wedi cyrraedd y rhestr fer, o ystyried y malu cachu roddodd e ar ei ffurflen gais. Esgus mai ei hoff ffilm oedd *La Dolce Vita* i ddechre (ac nid *Night of the Living Dead*), a'i fod e'n gwylio rhaglenni S4C yn rheolaidd, nid jyst y rygbi. Gobeithio na fydden nhw'n gofyn gormod o gwestiynau manwl iddo fe am arlwy drama yffachol S4C, ac mai dim ond mwydro arwynebol fydden nhw'n ei ddisgwyl ganddo.

Sylwodd yn syth ar y ferch bert oedd yn eistedd wrth ei ochr. Roedd hi'n aros am gyfweliad hefyd, roedd hynny'n amlwg. Edrychai'n gyfarwydd iddo. Gobeithio nad oedd wedi'i shago hi yn y Coleg. Aeth e trwy ferched fel *dose of salts* yn ei flwyddyn gyntaf, yn dilyn y *false start* yna gyda Betsan. Ciledrychodd arni eto; ymddangosai'n siŵr iawn ohoni'i hun gyda'i siwt smart a'i brîff-cês lledr. *Balls*! Trueni na fuasai e wedi dod â'r brîff-cês lledr brynodd ei fam-gu iddo fe pan raddiodd e. Doedd e ddim yn cofio ble roiodd e hwnnw hyd yn oed ond roedd hi'n rhy hwyr nawr. Synhwyrodd fod y ferch yn syllu arno fe a chododd ei ben o'r hen gopi o *Golwg* roedd wedi bod yn esgus ei ddarllen ers deng munud.

Craffodd ar ei hwyneb tlws pan nad oedd hi'n edrych, a daeth rhyw deimlad rhyfedd o *déja-vu* cryf i'w ran. Roedd hi'n bendant yn ei atgoffa o rywun . . .

'Ti'n mynd am y swydd Is-Olygydd Drama?' holodd hi e'n dawel.

'Ym . . . ydw. Wy'n *nervous wreck*!' Penderfynodd Owen fflyrtio ychydig; wel, man a man, gan ei bod hi wedi dechrau sgwrs.

Gallai arogli ei phersawr hi, ac roedd ei llygaid mawr gwyrdd yn treiddio'n rhyfedd i'w lygaid yntau. W, roedd hi'n secsi . . .

A jyst cyn iddo ofyn iddi am ei henw ac awgrymu mynd am ddiod ar ôl eu cyfweliadau i gymharu nodiadau, dyma ryw *yuppie* diawl yn dod i eistedd wrth ei hochr. Ffacin Hel! *Typical*! Ac yntau'n gwneud mor dda gyda'r sgwrs hyd yn hyn. Ond na, roedd hi a'r *yuppie*'n sibrwd wrth ei gilydd ac roedd hi wedi anghofio'r cyfan am Owen yn barod. Dychwelodd yn bwdlyd at ei gopi crap o *Golwg*. Pam oedd merched yn greaduriaid mor arwynebol?

Er syndod iddo, clywodd Owen y diwrnod canlynol ei fod wedi cael y swydd. Roedden nhw'n *impressed* iawn, medden nhw, ei fod e wedi gwneud tipyn o waith ymarferol tra oedd e yn y Coleg ac roedd ei ffilm fer, *slasher movie* o'r enw *Saethu Sali Mali*, wedi cael cryn argraff arnyn nhw. Dyma lle'r oedd e yr wythnos ganlynol, yn eistedd unwaith eto yn y dderbynfa'n aros am gyfarfod. Ond y tro hwn, cyfarfod â'i fòs newydd fyddai e, Magi Prydderch. Sut fenyw fyddai hi? Mamol? Caredig? Neu bwldog mewn siwt Chanel? Weithiau, meddyliai Owen ei fod e'n ofni menywod . . .

'Owen?' daeth llais benywaidd bywiog i dorri ar ei synfyfyrion. Cododd ei ben a gweld dynes soffistigedig ac atyniadol yr olwg yn ei thridegau hwyr yn gwenu arno. 'Y . . . Ie . . . Helô, shwmai,' dywedodd, gan adael i'r un hen gopi o *Golwg* yr oedd unwaith eto'n ffugio'i ddarllen syrthio ar y llawr yn ei hurtwch. Plygodd i'w godi'n gyflym a theimlodd ei grys newydd yn rhwygo gyda'r straen annisgwyl. *Shit*! Allai pethau fod yn waeth? Falle na chlywodd neb arall y rhwyg. Diolchodd fod ganddo siaced amdano, ond nawr byddai'n rhaid iddo chwysu ynddi drwy'r dydd rhag datgelu ei fod yn fersiwn wimpaidd o'r Incredible Hulk wedi bosto allan o'i grys trendi.

'Dewch 'da fi, Owen,' dywedodd y fenyw'n awdurdodol. Dilynodd Owen hi'n ufudd a chamodd hithau'n hyderus trwy'r dderbynfa ac i fyny i lawr uchaf yr adeilad. Sylwodd Owen ar y sodlau uchel ar ei thraed – roedden nhw'n goch, yn sgleiniog ac yn finiog. Byddai Huw yn ei elfen gan fod ei ffetish am fŵts wedi cilio, a sodlau uchel yn ddiddordeb newydd iddo. Roedd ganddi goesau hir a siapus, a chorff model. Roedd hi'n codi llond twll o ofn arno fe'n barod!

Agorodd hi ddrws i swyddfa fawr oedd ar gornel y llawr uchaf a'i alw i mewn. Edrychodd Owen o'i gwmpas yn llawn chwilfrydedd. Roedd desg enfawr a dwy gadair ledr ddrudfawr yr olwg o'i blaen, gyda thomenni o bapurau a sgriptiau ar y bwrdd a phosteri o gynyrchiadau o orffennol llewyrchus y cwmni ar y muriau. Y ddrama bwysig, *Caeth*, oedd yn dilyn stori un o'r carcharorion rhyfel Almaenig adeg yr Ail Ryfel Byd a'i berthynas hoyw gydag Uwch Swyddog yn yr RAF; y ddrama Gymreig 'sinc cegin', *Cwlwm Perthyn*, oedd yn dal i gynnig pensiwn i gast-offs *Pobol y Cwm*; y gyfres roc, *Disg*, a'r gyfres i blant, *Dysgu Tedi*. Oedd, roedd yna gyfoeth o hanes yn perthyn i'r cwmni yma.

Cymaint oedd ei lwyddiant yng Nghymru, roedd bellach ar y farchnad stoc ac yn ennill pob comisiwn gan y prif ddarlledwyr Cymreig, er mawr bryder i'w gelynion oedd yn chwerw-fwmial suon am 'amlenni brown' a llwgr-wobrwyo.

'Eistedda, Owen,' dywedodd y fenyw'n gynnes. 'Wyt ti wedi cael cynnig coffi?'

'Yym . . . naddo . . .'

'O diar. Wel, fe gewn ni bob o baned nawr ac fe esbonia i beth fydd dy rôl di yn nheulu Rownd y Rîl.' Gwenodd arno gyda'r minlliw gwaedgoch yn disgleirio'n beryglus yn erbyn ei dannedd gwynion. Cododd y ffôn a chyfarth, 'Dau goffi! Nawr!'

Menyw bert, ond yffach o fenyw bwerus hefyd, meddyliodd. Roedd ganddi wallt cwta a thywyll fel Louise Brooks yn yr hen ffilmiau du a gwyn o'r 1920au, llygaid aur-frown fel neidr, a smotyn harddwch bychan ar ei boch chwith, fel Liz Taylor yn *Cleopatra*.

'Magi Prydderch ydw i. Pennaeth Drama. Byddi di'n gweithio yn fy nhîm i. Dwi wedi bod wrthi'n ffilmio ein cyfres ddrama newydd ni i bobol ifanc, *Cofis*, yn y gogledd tan yn ddiweddar. Welest ti'r gyfres ddiwethaf?'

Bang! Saethodd y geiriau o'i cheg fel bwledi ac roedd Owen yn cachu brics.

Bu Owen yn ddigon anffodus i wylio un bennod o *Cofis*, oedd yn cynnwys criw o bobl ifanc yn gweithio mewn siop ddillad yng Nghaernarfon ac yn treulio'r rhan fwyaf o'u hamser yn dadlau'n annealladwy ac yn shago. Ffugiodd frwdfrydedd a dweud, 'Do, o'dd hi'n grêt, chwa o awyr iach.'

'O'dd cwpwl bach o broblemau gyda'r sgriptio, ond nawr mae ganddon ni sgwennwr newydd wrth y llyw, felly wy'n ffyddiog bydd yr ail gyfres yn gryfach.'

Ail gyfres? Yffach! Sut ddiawl oedd y fath rwtsh wedi llwyddo i gael ail gyfres? Ac yn union fel petai hi'n gallu darllen ei feddwl, dywedodd Magi'n llyfn, 'Y'n ni'n lwcus bod ein cynyrchiadau ni i gyd yn mynd i ail gyfres, dyna'r norm erbyn hyn yn y diwydiant. Mae'n rhatach gwneud dêl a thalu am ddwy gyfres ar unwaith y dyddiau 'ma, ti'n gweld.'

Nodiodd Owen ei ben yn ddoeth fel petai'n deall yr hyn roedd hi'n ei ddweud. Cerddodd y ferch surbwch o'r dderbynfa i mewn gyda'u coffi, ond y tro hwn, roedd hi'n wên o glust i glust.

'Wel, Owen,' pwysodd Magi'n ôl yn ei sedd a chymryd llymaid o goffi'n feddylgar. 'Ges i olwg ar dy *showreel* di ac o'n i'n hoff iawn o *Saethu Sali Mali*. Mae'n amlwg fod 'da ti ddychymyg byw a synnwyr digrifwch *quirky*. Wy'n meddwl bod cryn botensial 'da ti yn y diwydiant. Ac wy'n falch o weld dy fod ti wedi mynd ati i gynhyrchu prosiectau ymarferol ar dy liwt dy hun, yn lle canolbwyntio'n ormodol ar yr ochr academaidd.'

'Diolch yn fawr, Ms Prydderch. Wy'n falch iawn mod i wedi cael y swydd ac rwy'n addo gwneud fy ngore.' Gwenodd Owen arni yn dal i'w hofni hi ond hefyd yn ei ffansïo hi'n rhacs ar yr un pryd.

'Fel gelli di weld, mae gen i lwyth o sgriptiau yma dwi heb gael cyfle i'w darllen. Mae'r rhan fwyaf yn bownd o fod yn sbwriel llwyr, ond mae'n rhaid eu darllen nhw, sgwennu adolygiad byr o'u cynnwys os y'n nhw'n dda, a phenderfynu os oes ganddyn nhw unrhyw botensial o gwbl. A dyna lle'r wyt ti'n dod i mewn.'

'O?' dywedodd Owen, tywalltodd ychydig o goffi poeth ar ei siaced swêd yn ddamweiniol. *Get a grip*!

'Ie. Os wyt ti'n meddwl bod gan sgript botensial, ysgrifenna adroddiad manylach i fi. Cynnwys, cymeriadau, stori, pa sianel y dylid ei thargedu – y math yna o beth. Am y rhai sy'n *crap*, wel, sgwenna lythyr byr yn dweud diolch ond dim diolch.'

'Dim problem.' Er gwaethai'i eiriau hyderus, teimlai Owen ar goll yn llwyr. Sut oedd e i fod i wybod os oedd rhywbeth yn dda neu beidio? Beth os byddai'n taflu sgript ffantastig i'r bin, a hwnnw'n troi mas i fod yn llwyddiant ysgubol i gwmni arall?

'Cymera focsaid o'r rhain, ac fe ofynna i i Llinos drefnu desg i ti,' dywedodd Magi gan ollwng bocs mawr o sgriptiau yn ei freichiau crynedig a'i dywys allan o'r swyddfa'n ffrwt. Gwenodd arno wrth ei arwain tuag at ddesg merch bochgoch a phrysur yr olwg. 'Wy'n ffyddiog y byddi di'n ychwanegiad gwerthfawr i'r tîm, Owen.'

Gosododd law fechan wen ar ei fraich am eiliad, a sylwodd Owen ar yr ewinedd hirion wedi'u peintio'n goch, y bysedd yn oedi ychydig wrth ei gyffwrdd cyn iddi droi a chilio oddi yno'n slic. Teimlodd ias yn cerdded trwy groen ei fraich.

Setlodd Owen yn gyflym i rigol y naw tan bump. Dysgodd gan aelodau eraill ei dîm bod Magi'n rhoi'r dasg o adolygu sgriptiau i aelod newydd o staff bob tro er mwyn dysgu mwy am eu chwaeth, eu harddull ysgrifennu a lefel eu gallu. Os na fyddai'r adolygiadau'n plesio, yna byddai'r unigolyn anffodus yn canu ffarwél drist i'r cwmni ar ôl ei dri mis o dreial.

Deallodd Owen yn syth fod pawb yn y swyddfa'n

ofni Magi. Pan oedd hi allan o'r adeilad, newidiai'r awyrgylch yn gyfan gwbl, a byddai galwadau personol a sesiynau o chwilio am bethau dibwys ar y we yn codi'n sylweddol. Ond feiddiai Owen ddim esgeuluso'i waith. Roedd yn benderfynol o lwyddo yn ei gyfnod prawf a sicrhau ei le fel ymchwilydd disglair yn 'nheulu hapus' Rownd y Rîl.

Rhyw ddeufis wedi iddo ddechrau yn y swydd, derbyniodd neges e-bost oddi wrth Magi yn ei wahodd i 'gyfarfod datblygu' yn ei swyddfa ar ôl oriau gwaith. Nid peth anghyffredin oedd hyn. Arhosai nifer o'r staff ar ôl y gwaith yn ysbeidiol i drafod prosiectau gyda 'Madame' fel y gelwid Magi gan y tîm. Ond roedd y ffaith ei bod yn ei wahodd ef, ymchwilydd bach di-nod, yn beth anghyffredin iawn.

'Falle bo ti mewn am yr *high-jump*,' mewiodd Llinos yn faleisus. 'Fel arfer, mae'n galw pobol ar dy lefel di i mewn ar ôl gwaith i roi *bollocking* iddyn nhw.'

Suddodd calon Owen i'w esgidiau. Ffyc! Bu'n gweithio mor galed, felly beth oedd y fam-fitsh eisiau? Gwaed? Am unwaith, rhuthrodd yr oriau heibio'n llawer rhy gyflym y diwrnod hwnnw, ac yntau'n ceisio crafangu'r munudau yn eu holau. Yn sydyn iawn, roedd hi'n bump o'r gloch. Gan ei bod hi'n ddydd Gwener, roedd pawb ar ei lawr ef wedi gadael am y dydd (yn dilyn *achronym* POETS – 'Piss Off Early, Tomorrow's Saturday'), a dim ond fe oedd ar ôl. Roedd wedi pacio'i stwff o'i ddesg eisoes fel y gallai wneud *exit* cyflym ond urddasol pe bai'r gwaethaf yn digwydd. Cnociodd yn ysgafn ar ddrws swyddfa Magi.

'Dewch i mewn!' clywodd ei llais awdurdodol yn galw. Cerddodd mewn i'r swyddfa ei ddwylo'n crynu.

'Owen,' gwenodd yn gyfeillgar. 'Cymera sedd.' *Oh God.* Eisteddodd Owen ar ymyl y sedd yn nerfus, yn barod i godi a diflannu cyn gynted ag y deuai'r gorchymyn. 'Gwranda, dwi 'di galw ti mewn i sôn am y gwaith da ti wedi bod yn ei wneud ers i ti ddechrau yma. Ti'n adolygu pethe'n gryno ac eto'n gynhwysfawr, ac ma'n rhaid i fi ddweud bod gen ti alluoedd creadigol amlwg. Mewn amser, dwi'n siŵr y gwnei di gynhyrchydd bach da.'

Cododd Owen ei galon a gwenu'n falch ar Magi yn falch. 'O . . . diolch yn fawr, M . . . Magi . . .'

Roedd e wastad yn ei gweld yn anodd ei galw hi wrth ei henw cyntaf gan ei fod yn meddwl amdani fel 'Madame,' yr athrawes awdurdodol.

'Wy moyn i ti weithio'n agos iawn gyda fi ar brosiect newydd hefyd,' gwenodd Magi gan bwyso'n ôl yn ei chadair ac edrych ar Owen fel petai'n syllu'n ddwfn i'w enaid. 'Wy'n paratoi cyfres newydd i S4C – cyfres *sci-fi* secsi ma nhw isie, a dyna beth fyddan nhw'n ei gael. Nawr, dwi'n gwybod ei bod hi'n nos Wener, a dwi'n siŵr bod dyn ifanc fel ti wedi gwneud trefniadau i fynd allan gyda dy gariad . . .'

'O na, sdim byd mla'n 'da fi,' neidiodd Owen i ateb yn frwd. *Sci-fi*! Byddai yn ei elfen ac yntau wedi addoli wrth allor yr *X Files* a *Dr Who* ers dyddiau mebyd.

'Grêt 'te. Nawr gad i fi esbonio sut dwi'n gweld y gyfres 'ma'n gweithio . . .'

Ddwyawr yn ddiweddarach, roedd Owen bron wedi llenwi ei lyfr nodiadau. Gwenodd Magi arno'n foddhaus. 'Gwranda, wy'n starfo, ti'n ffansïo pryd bach o fwyd yn rhywle? Ti'n haeddu gwobr ar ôl gweithio mor galed.'

'Yy . . . iawn . . .' Roedd Owen yn ansicr o'r *protocol*, ond yn gwybod yn iawn na allai wrthod y cynnig. Byddai'n rhaid i Huw a'i noson allan aros am awr neu ddwy.

Cerddodd y ddau allan o'r adeilad, a theimlai Owen yn bwysig iawn wrth ddringo i'w Porsche Boxter moethus, lliw arian. Dyma'r bywyd. Bòs ffantastig oedd yn gweld ei botensial ac yn mynd ag e allan am bryd o fwyd.

Aeth Magi ag e i'r Brasserie yn y Bae, bwyty pum seren oedd yn llawer rhy gostus i'w boced ef, a diolch byth iddo dod â'i gerdyn credyd. Dewisodd y bwyd rhataf ar y fwydlen yn gyntaf ond dywedodd Magi'n dawel, 'Owen, mynna stecen er mwyn dyn, fi sy'n talu heno.' Gwenodd Owen yn lletchwith cyn archebu stecen ffiled a'r trimins i gyd. Wel, os oedd hi'n mynnu . . .

Ar ôl iddo ddechrau ymlacio, dechreuodd fwynhau ei hun go iawn yn ei chwmni. Chwarddai Magi ar ei straeon doniol e, ac roedd hi'n dipyn mwy ffraeth ac ysgafn y tu allan i'r swyddfa. Bron y gallai anghofio mai hi oedd 'Madame' a godai ofn ar bawb yn y gwaith.

Erbyn i'r bil gyrraedd, ac yntau wedi stwffio stecen, *crème brûlée* a digon o win i suddo'r Titanic, teimlai'n fodlon iawn ei fyd. Roedd Magi'n ffantastig ac yn rhywiol iawn hefyd am ei hoed, meddyliodd, gan sylwi ar ei bronnau siapus wrth iddi bwyso tuag ato a dweud yn dawel, 'Wel 'te Owen. Beth amdani? 'Nôl i'n lle i am 'bach o siampên a sbri?'

Sbri? Beth oedd hi'n feddwl? Doedd hi ddim yn . . . oedd hi? Oedd e, Owen, wedi tynnu dynes soffistigedig, alluog, rywiol fel Magi? Ei fòs e? *Shit*! Roedd yr holl win wedi troi ei ymennydd yn gandi-fflos iwsles. Un drinc bach – doedd bosib y byddai hi am gael mwy ganddo fe? Roedd hi bron yn ddigon hen i fod yn fam iddo!

Dilynodd Magi fel oen bach ufudd i'r maes parcio a dringo i foethusrwydd lledr y Porsche, ei ben yn troi. Beth ddiawl oedd hi'n bwriadu'i wneud ag e? Mae'n siŵr ei bod hi am drafod mwy o'r prosiect *sci-fi*.

Parciodd Magi'r Porsche yn gelfydd y tu allan i glamp o dŷ Sioraidd ym Mhenarth. Meca glan-môr nid nepell o'r brifddinas oedd Penarth, yn llawn tai mawr pedwar llawr ysblennydd nad oedd neb, heblaw'r rhai gwir gyfoethog yn medru fforddio byw ynddyn nhw erbyn hyn.

Agorodd Magi'r drws a gwenu arno cyn ei dynnu i mewn gerfydd ei goler. Be ffyc oedd yn digwydd? Caeodd y drws yn glep gan ei wthio ef yn erbyn y wal yn y cyntedd a dechrau ei gusanu'n nwydwyllt. Cusanodd Owen hi'n ôl, yn ansicr i ddechrau, gan amau mai breuddwyd erotig oedd hyn i gyd ac y byddai'n deffro, yn ôl ei arfer, yn ei wely sengl yn y fflat a rhochian chwyrnu Huw yn adleisio o'r drws nesaf. Teimlai dafod Magi'n crwydro hy' yn ei geg a sylweddoli bod y cyfan yn wyllt o real.

Tynnodd Owen yn ôl o'i chusanau am eiliad ac edrych arni'n ddifrifol. Doedd e ddim eisiau cael y sac fore drannoeth am 'jwmpo' ar y bòs. 'Ms Pry . . . Magi, chi'n siŵr y dylen i neud hyn?'

'Owen bach.' Gwenodd Magi wên fach slei. 'Sa i erioed wedi cael rhyw gydag aelod o staff . . . Ti 'di gweld nhw? Ond ti'n wahanol . . . Alla i ddim stopio meddwl amdanat ti . . . Ti'n *gorgeous*, mor ddiniwed . . . dy lygaid mawr brown di, fel ci bach . . . Rhaid i fi dy gael di!'

Cydiodd yn ei law a'i lusgo i'w hystafell wely i fyny'r grisiau. Methai Owen gredu ei lwc. Byddai Huw yn genfigennus biws pan glywai am hyn! Roedd ei ffrind wedi magu ffantasi ers tro am gael rhyw gyda menyw hŷn a phrofiadol fyddai'n gwybod yn union beth oedd hi'n ei wneud . . . Oes yn wir, mae 'na Dduw, meddyliodd.

Chafodd Owen mo'i siomi. Roedd Magi fel cath wyllt rhwng y cynfasau cotwm Eifftaidd drud. Yn ddannedd ac ewinedd miniog i gyd, ei chyhyrau'n dynn a chorff mor ystwyth ag un croten hanner ei hoed. Teimlai Owen fel clai meddal, twym yn ei dwylo wrth iddi ei fodio a'i yrru o'i go gyda'i 'chwyth-waith' arbenigol. Teimlodd ei hun yn dod fel trên wrth iddi ei farchogaeth yn fuddugoliaethus sha thre. Dyna lle'r oedd e, yn noethlymun yng ngwely'r bòs, a'i ddwylo'n cydio'n farus yn ei bronnau bryniog gwyn. Gwaeddodd yn falch, 'Madame!' wrth iddo gyrraedd ei binacl orgasmig. Chwarddodd Magi a pharhau i'w farchogaeth yn galed. 'Ac eto, ac eto,' sibrydodd yn ei glust wrth iddi barhau i symud yn ystwyth gydag ef yn gaeth y tu mewn iddi. Allai pethau ddim bod yn well na hyn . . .

'A ble fuest *ti* heno?' holodd Huw yn biwis pan gerddodd Owen i mewn i ystafell fyw eu fflat fechan fel *débutante* penchwiban Jane Austen-aidd yn dychwelyd o'r ddawns am ddau o'r gloch y bore. Gorweddai caniau cwrw gwag dros y llawr, ac yn amlwg roedd Huw yn dal dig nad oedd Owen wedi dod adre'n gynnar iddynt gael mynd allan ar y *piss*.

Er syndod i bawb oedd yn ei adnabod, roedd Huw wedi llwyddo'n rhyfeddol yn ei arholiadau gradd a bellach roedd yn athro Cymraeg parchus mewn Ysgol Gyfun Gymraeg yn y brifddinas.

'Gredi di byth . . .' dechreuodd Owen, yn dal i grynu gan gyffro'i brofiad llesmeiriol yng ngwely Magi. 'Heno, gysgais i 'da'r bòs . . .'

'*Gysgest ti gyda* Madame?!' Saethodd Huw o'i gadair fel petai wedi'i drydanu. 'Shwt ddiawl wnest ti 'ny? *Jammy sod*!'

Cododd Owen ei ysgwyddau'n ffug-ddiymhongar. 'Sa i'n gwybod.' Eisteddodd yn syfrdan ar y soffa ac estyn can o gwrw. 'Gofynnodd hi i fi ddod i'w swyddfa ar ôl gwaith, wedodd hi ei bod hi'n hapus iawn gyda fi a'i bod am i fi weithio gyda hi ar brosiect *sci-fi* pwysig. Wedyn aethon ni allan am bryd o fwyd, a mynd 'nôl i'w lle hi.'

'Ffycin 'el!' ebychodd Huw a gorfod tanio sigarét. 'Shwt o'dd y rhyw? O'dd e'n dda?'

'*Mindblowing*. Shagon ni'n *senseless*.'

'Wel, yn naturiol,' meddai Huw'n wybodus. 'Menyw ei hoed hi . . . Mi wyt ti, fy ffrind bach lwcus, wedi rhwydo *cougar*.'

'E?'

Typical Huw, yn gorfod dangos ei fod yn gwybod popeth, yn arbenigwr ar fenywod er mai fe Owen o'dd yr un gafodd y *shag* ysblennydd.

'Brîd newydd o fenywod yw'r *cougars*', yn agosáu at eu canol oed ac yn targedu bechgyn ifanc fel ni am . . . y . . . 'bach o hwyl allgyrsiol.' Gwenodd Huw wên wybodus. 'Ie, o'n i wastad yn meddwl mai *urban myth* oedd y *cougar* . . . tan nawr.'

'O'dd hi'n anhygoel,' meddai Owen yn freuddwydiol. 'O'dd hi fel anifail gwyllt, a smo fi byth, byth wedi dod fel 'na o'r blaen.'

'Ocê, ocê, sdim isie brolio am y peth,' sniffiodd Huw a thaflu clustog ato. 'Ma rhai ohonon ni wedi bod yn eistedd 'ma trwy'r nos fel mygins yn aros i rywun ddod adre!'

'Sori, boi. Ewn ni mas nos fory.'

'Ti'n meddwl fydd hi isie mwy? Ei! Shwt fydd pethe yn y gwaith dydd Llun?'

Shit! Doedd Owen ddim wedi meddwl o gwbl am oblygiadau gweithredu'n rhywiol gyda Magi yng nghyd-destun y gwaith. Fyddai pethau'n anodd? Beth tase pawb yn darganfod eu bod wedi cysgu gyda'i gilydd? Byddai'r clecs yn anioddefol! A mwy na hynny, beth tase Magi'n digio ac yn cael ei wared e o'r cwmni?

Griddfanodd, 'Be wna i, Huw?'

'Dim yw dim, boio. Gad iddi hi wneud y *first move*. Hi yw'r *boss lady* wedi'r cwbl.'

Eisteddodd Owen wrth ei ddesg fechan. Beth petai Magi'n difaru a rhoi'r sac iddo fe? Sut gallai e fod wedi gwneud peth mor stiwpid? *Never shit on your own doorstep*. Dyn oedd y rheol gyntaf mewn perthynas. Ac roedd e wedi creu'r dymp mwyaf yn hanes dynoliaeth!

Agorodd ei e-bost, ac yno fe welodd . . . Neges oddi wrth magi@rowndyril.com . . ! Agorodd y neges a'i fysedd yn crynu. Roedd y neges yn blaen ac yn syml.

Annwyl Owen
Diolch yn fawr am dy fewnbwn nos Wener. Cawsom gyfarfod buddiol a boddhaol iawn. Gobeithio dy fod ar gael heno am fwy o waith datblygu. 16 Windsor Road, Penarth, 8pm.
Cofion
M

Ffiw! Doedd e ddim am gael y sac, felly. Ac os oedd e'n iawn, roedd ar fin cael sesiwn hynod arall yn y *sack* . . . Duw a ŵyr a fyddai ganddo'r egni i wneud hyn bob nos! Gwenodd iddo'i hun, yna rhewodd wrth weld Magi'n dod allan o'i swyddfa. Cododd ei olygon a dal ei llygaid. Gwenodd hithau arno gan symud ei thafod yn gyflym dros ei gwefusau. Sylwodd neb. Cochodd Owen hyd fôn ei glustiau a throi'n ôl at ei gyfrifiadur. Blydi hel, roedd cyfrinach o'r fath yn y gwaith yn *turn-on* rhyfeddol, meddyliodd, a theimlai'n union fel petai e mewn ffilm . . .

Wedi deufis o gyfarfodydd dirgel a rhyw tanbaid, eirias, gan gynnwys cwpwl o sesiynau tin-boeth ar ddesg Magi ym mherfeddion nos yn y gwaith, roedd Owen yn dechrau teimlo fel pe bai mewn ffilm arswyd. Roedd yr holl sylw 'allgyrsiol' roedd wedi'i fwynhau gymaint ar ddechrau'r berthynas gyda Magi wedi troi'n llethol. Gofynnai Magi iddo ddod 'nôl i'w lle hi bron bob nos, ac er fod y giamocs gwely'n anhygoel, collai Owen y nosweithiau segur yn lolian o flaen y bocs yn yfed San Miguel gyda Huw. Ac yn wir, heblaw am y rhyw a thrafod syniadau teledu, buan y darganfu nad oedd ganddyn nhw fawr ddim byd arall yn gyffredin. Roedd Magi'n *connoisseur* oedd yn hoffi'r bwyd a'r ddiod orau, yn ffan o opera a chelf *avant garde*, nid *X-Files, The Simpsons* a Blur fel ef.

'*Short and curlies*, Owen bach,' dywedodd Huw yn smŷg wrth weld Owen yn prysuro i wisgo'n barod am noson arall *chez* Magi.

'Be?' holodd Owen yn bwrpasol o ddiddeall. Teimlai'n flinedig a doedd arno ddim awydd o gwbl i ddal y bws i Benarth unwaith eto.

'Hi yw dy fòs di, a galli di ddim dweud "na" t'wel', felly mae ganddi afael tyn ar dy biwbs di!' chwarddodd Huw.

'Dyw e ddim yn jôc, Huw,' meddai Owen yn drist. 'Os ydw i'n dweud mod i'n brysur, mae'n pwdu ac yn troi'n fitsh arna i'n y gwaith.'

'O'n i'n meddwl y bydde hi o bawb yn broffesiynol.'

'Be ma hynny'n feddwl?' poerodd Owen yn chwerw. 'Smo fe'n beth proffesiynol i dynnu ymchwilydd ifanc, dibrofiad, a hithe'n fòs yn agosáu at ei deugain oed.'

'Os ydy pethe'n mynd yn rhy ddifrifol, bydd jyst rhaid i ti orffen pethe.'

'Ie, a dweud ta-ta wrth fy ngyrfa.'

'Na, c'mon Owen. Dim ond ta-ta iddi hi a'i chwmni. Mae 'na gwmnïau teledu eraill yng Nghaerdydd n'do's?'

'Wel, oes, ond o'n i rili isie gwneud y gyfres *sci-fi* 'ma.'

'Wel, ma gen ti ddewis.' Oedodd Huw'n ddramatig. 'Dy fywyd, neu dy yrfa.'

Nodiodd Owen ei ben yn ddiflas a chydio yn ei siaced.

'Ti'n edrych fel se ti'n mynd i angladd, nid i gael noson o ryw chwilboeth!' chwarddodd Huw wrth wylio'i ffrind yn cerdded at y drws a'i ysgwyddau'n drwm dan bwysau gofid.

Meddyliodd Owen am eiriau Huw wrth eistedd ar y bws i Benarth a daeth i sylweddoliad sydyn. Pam oedd e'n neidio bob tro roedd Magi'n codi'i bys bach? Ai dyn go iawn oedd e? Byddai'n rhaid iddo fe orffen pethau gyda hi unwaith ac am byth cyn iddo golli rheolaeth ar ei fywyd yn llwyr. Yr wythnos ddiwethaf, soniodd Magi amdano'n symud i fyw i'w chartref hi ymhen ychydig fisoedd, pan y gallent, o'r diwedd, gyhoeddi eu serch i'r byd!

Gwyddai o'r gorau fod ambell i un yn y gwaith yn amau'r berthynas 'agos' rhyngddo ef a Magi, a mater o amser fyddai hi cyn i bawb ddod i wybod. Sut byddai ei fam yn teimlo wrth ei weld yn mynd allan gyda dynes oedd ond bum mlynedd yn iau na hi? Heno'n sicr, byddai'n gorffen gyda hi heno . . . neu nos fory falle. Y brif broblem oedd fod y rhyw mor grêt; roedd fel petai ei ben a'i bidyn yn ymladd yn erbyn ei gilydd, ac ar hyn o bryd ei bidyn oedd yn ennill.

Trannoeth, ar ôl noson gofiadwy arall yng ngwely Magi, roedd Owen wedi gwneud ei benderfyniad. Paciodd ei holl eiddo gwaith mewn bocs bach a gadael e-bost i Magi yn ei hysbysu o'i ymddiswyddiad.

Roedd wedi dewis ei ddiwrnod ffarwél yn ofalus. Gwyddai y byddai Magi allan ar leoliad yn ffilmio trwy'r dydd. Ni ddywedodd air wrth ei gydweithwyr wrth adael adeilad cwmni Rownd y Rîl am y tro olaf. Doedd yr awyrgylch fferm-fatri ddim yn bridio cyfeillgarwch beth bynnag. Fyddai e ddim yn gweld eu colli nhw. Gwyddai hefyd na fyddai'n cael perthynas gyda rhywun roedd e'n gorfod gweithio gyda nhw byth eto.

Gadawodd yr anrhegion niferus a brynodd Magi iddo yn ystod eu carwriaeth yn nrôr ei desg. Y *cufflinks* aur, y waled Paul Smith o groen llo, y persawr costus. Doedd e ddim eisiau iddi feddwl ei fod e wedi bod gyda hi am yr anrhegion a'r ciniawau a'r siampên yn unig. Yn ei e-bost ati esboniodd ei fod yn meddwl y byd ohoni, ond nad oedd e'n ddigon o ddyn iddi eto. Gobeithiai ei bod hi'n deall . . .

Pennod 4

Mari: Mr Déspret
2000

Roedd Mari wedi hen flino ar chwarae Tetris ar ei ffôn symudol. Ble'r oedd e? Dyma lle'r oedd hi'n eistedd fel *Nobby-no-mates* mewn bar ar ei phen ei hun yn aros am foi roedd hi prin yn ei gofio o'r nos Sadwrn flaenorol. Roedd y dêt cyntaf yn un lletchwith fel arfer, ac ar ben hynny roedd e'n hwyr. Mwy na thebyg fyddai e ddim yn dod i'w chyfarfod o gwbl. Pam oedd hi'n trafferthu? Doedd bywyd go iawn ddim fel *This Life*, ac roedd yn rhaid iddi gofio hynny yn lle meddwl ei bod hi'n chwarae rhan Anna, y gyfreithwraig rywiol roedd pawb yn ei ffansïo.

Yr unig beth allai Mari ei gofio am Dafydd oedd ei fod yn dal, yn eitha ciwt, yn bryd golau a chanddo sgiliau dawnsio a chusanu gwych. Rhannodd y ddau gusan hir mewn bar y nos Sadwrn flaenorol, a buont yn tecstio ac ebostio'n fflyrtaidd trwy'r wythnos wedi hynny. Ond oherwydd ei meddw-dod y noson honno, roedd nodweddion ei bryd a'i wedd yn eitha cymylog yn ei meddwl. Eniwê, munud arall, ac os byddai'n ymddangos yna gallai weld gwir safon y sbesimen . . .

'Helô!' Cododd Mari ei phen o'i ffôn symudol â gwên ddisgwylgar, ond nid Dafydd a safai yno ond yn hytrach rhyw foi arall. Edrychai'n gyfarwydd iawn, gyda'i frychni a'i wên gynnes. Yna cofiodd pwy oedd e. Y blydi boi yna aeth am yr un swydd â hi yn Rownd y Rîl! Roedd yn hollol amlwg ei fod yn esgus bod yn swil ac yn nerdi, ond go iawn roedd yn *barracuda* llwyr gan mai fe gafodd y swydd. Ffugiodd nad oedd yn ei gofio. 'Sori, odw i'n eich nabod chi?' holodd.

'Aethon ni am yr un swydd yn Rownd y Rîl ryw flwyddyn a hanner yn ôl?' meddai gan wenu'n obeithiol arni.

'O ie.' Gwenodd Mari'n boléit ond oeraidd. Beth oedd e'n moyn gyda hi? Bragio mai fe gafodd y swydd ac nid hi? 'Gest ti'r swydd 'te?'

'Do,' dywedodd e'n lletchwith gan gochi ychydig.

'Ges i job wedyn gyda Gwalia TV. Shwt ma pethe yn Rownd y Rîl te?'

'Smo fi'n gweithio 'na mwyach . . . O'dd e fel ffatri braidd . . . Dim lot o le ar gyfer creadigrwydd,' esboniodd y bachgen yn araf.

'O, ble wyt ti nawr 'te?' holodd Mari gan obeithio na chyrhaeddai Dafydd a'i dal yn siarad gyda boi arall.

'Dwi'n gweithio 'da Sbardun ar raglenni plant.'

'Wel, neis dy weld ti eto . . .'

'Owen.'

'Owen. Mari . . . wela i di . . .'

Gwenodd y bachgen arni cyn mynd i eistedd wrth fwrdd gerllaw. Blincin 'ec! O'dd y mwnci'n mynd i'w gwylio hi ar ei blind dêt drwy'r nos?

'Mari!' Trodd i edrych a gweld Dafydd yn sefyll yn ei hymyl. Goleuodd ei hwyneb wrth sylweddoli ei fod e'n olygus wedi'r cwbl. Chwarae teg iddi hi a'i *radar* am bishyns – hyd yn oed pan oedd hi'n *pissed* gach, roedd yr hen *beer goggles* yn 20/20! Yn wahanol i'w ffrind Helen druan, oedd ag arferiad anffodus i dynnu holl smalwod y ddinas ar ôl gormod o *cava* . . . Gan deimlo rhyddhad, sylwodd Mari ei fod yntau'n hapus i'w gweld hithau hefyd. Bwrodd y teimladau negyddol allan o'i hymennydd a gwenodd arno'n siriol, cyn ymateb yn fflyrti, 'Haia Dafydd'.

Plygodd tuag ati a rhoi cusan fach ar ei gwefusau, 'Shw mae? Neis dy weld di eto. Hoffet ti ddiod?'

'Na, mae gen i un diolch.'

'Iawn, af i'r bar i nôl un bach i fi.'

Syllodd Mari arno a chanmol ei lwc. Roedd e'n dal, chwe troedfedd dwy fodfedd o leiaf, yn gyhyrog ac roedd ei ben-ôl yn atyniadol iawn yn ei jîns trendi. Nawr am ychydig o *charm offensive*, a phwy a ŵyr, falle byddai cariad newydd ganddi cyn diwedd y noson.

Dychwelodd Dafydd at y bwrdd gyda pheint o gwrw yn ei law.

'Felly, shwt wythnos gest ti yn y gwaith 'te?'

'Iawn, eitha prysur . . .'

'Ie, mae'n rhaid ei fod e mor gyffrous gweithio ym myd teledu . . .'

Cyffrous, myn diain i! Roedd gweithio i gwmni teledu Cymraeg yn bell o fod yn 'gyffrous'! Gyda diffyg cyllideb, a chomisiynwyr difater, di-chwaeth, di-weld, roedd Mari wedi chwerwi tipyn at y diwydiant. Yr unig beth oedd yn ei chadw hi'n ei swydd oedd y mwynhad o wneud rhywbeth creadigol, er ei bod yn treulio llawer o'i hamser yn gweithio ar brosiectau ffôl a luniwyd gan gretins anllythrennog. Atebodd hi Dafydd yn ffwr-bwt, 'Wel, mae'n edrych yn gyffrous o'r tu fas falle, ond dyw e ddim – mae e fel pob swyddfa arall mewn gwirionedd.'

Pwysodd Dafydd ymlaen yn eiddgar yn ei gadair.

'Wel, dwi wastad wedi bod eisiau sgwennu sgriptie'n llawn amser, ti'n gwybod. Sut fydden i'n mynd ati i wneud hynny?'

Suddodd calon Mari wrth iddi adnabod fflach y ffanatig gor-uchelgeisiol yn llygaid Dafydd. 'Spider Senses tingling!' Ffycs sêc! Doedd dim diddordeb gan hwn ynddi hi o gwbwl, dim ond mewn cael swydd ym myd teledu.

Mae'n rhaid bod Dafydd wedi sylwi ar y newid ynddi, felly cydiodd yn ei llaw. 'Mari, ti'n iawn?' holodd.

Edrychodd Mari ar ei wyneb golygus a meddyliodd falle ei bod hi'n bod yn or-sensitif, a bod y boi jyst yn dangos diddordeb yn ei gwaith o ran cwrteisi. Gwenodd arno, 'Ydw, iawn diolch, bach o *brain-freeze* achos yr iâ yn y diod 'ma . . . Shwt oedd yr ysgol 'da ti'r wythnos 'ma? Plant yn olreit?'

Yn un o'i e-bost niferus ati yn ystod yr wythnos, datgelodd Dafydd ei fod ar gwrs ymarfer dysgu ar hyn o bryd. Chwarddodd Dafydd a dweud yn ddi-hid, 'O *same old*, ti'n gw'bod. Plant twp, sarhaus ac athrawon chwerw a sinigaidd. Dwi ddim yn gweld dysgu fel gyrfa, dwi ond yn gwneud y cwrs ymarfer dysgu i blesio Mam a Dad. Tamed i aros pryd nes i mi ennill fy Oscar cyntaf.'

Chwarddodd Mari gan feddwl mai jôc oedd hi, ond sylwodd bod golwg eitha difrifol ar ei wyneb ynglŷn â'i siawns o ennill Oscar.

'Mae'n eitha caled ennill Oscar, ti'n gw'bod,' meddai Mari yn reit nawddoglyd.

Nodiodd Dafydd ei ben a dweud yn frwd, 'Wy'n gwybod, ond dwi wedi sgrifennu rhywbeth fydd yn *sure-fire hit*. Mae e am fachgen anabl dawnus sy'n syrthio mewn cariad â'i nyrs ifanc rywiol ond sensitif. Croes rhwng *Forest Gump* a *Billy Elliot*.'

'Rhywbeth tebyg i ti 'te,' ochneidiodd Mari i'w hun, roedd wedi cael hen ddigon o'i frowlan yn barod. Ennill Oscar, wir! Dim ond os fedret ti gystadlu o dan gategori 'Wancar', mêt!

Aeth Dafydd yn ei flaen i werthu ei sgript iddi. 'Ie, ma'n ffrindie i'n gweud ei fod e'n rili doniol ac yn emosiynol iawn ar yr un pryd . . . Fydde modd i ti 'i ddangos e i dy fòs, ti'n meddwl? Wy'n siŵr y bydde fe'n cymryd dy argymhelliad di o ddifri.' Gwenodd yn felys fel triog. Teimlai Mari'n sic.

Ond nawr, doedd y weniaith ddim yn gweithio, a gallai weld yr uchelgais noeth yn ei lygaid disglair. Roedd yn gwbl amlwg mai un peth oedd e eisiau ganddi, sef cyflwyniad i'w bòs, ac nid perthynas ramantus o gwbl.

'Gwranda, Dafydd. Os ti isie cyngor am dy yrfa, man a man i ti drefnu apwyntiad gyda mòs i, ocê? O'n i'n meddwl bod ti isie cael drinc 'da fi i ni gael dod i nabod ein gilydd yn well, nid i gael cyngor rhad ac am ddim ar dy yrfa!'

Sylwodd ei fod wedi gwelwi ychydig. 'Sori Mari, o'n i ddim yn 'i feddwl e fel'na. Dwi 'di methu stopio meddwl amdanat ti ers . . . yym . . . nos Sadwrn. Ti mor bert a chlyfar . . . a . . . O'dd dy e-byst di mor ddoniol a . . . diddorol!'

Cydiodd yn ei llaw eto, ond gwyddai Mari nad oedd pwynt cario mlaen gyda'r dêt – roedd y noson wedi marw ar ei thraed. Bu distawrwydd lletchwith nes i Dafydd ddweud yn llawen, 'Gwranda, af i nôl diod arall i ti o'r bar, i ni gael dod i nabod ein gilydd yn iawn. Dim mwy o siarad siop, dwi'n addo.'

'G an' T plis.' Ffugiodd Mari wên ac i ffwrdd ag e am y bar.

Gwd. Tra bod y pwrsyn 'na'n mofyn diod o'r bar, gallai Mari ddanfon tecst brysiog yn gofyn i Sara ei ffonio er mwyn cael esgus i adael y dêt uffernol yma.

Edrychodd draw ar Owen, oedd yn eistedd gyda merch siaradus iawn yr olwg. Roedd hi'n falch o weld ei fod yntau'n edrych mor ddigalon â hi. Erbyn i Dafydd ddychwelyd o'r bar, roedd Mari wedi danfon ei thecst SOS at Sara.

'So, wyt ti'n ffansïo symud mlaen i rywle arall ar ôl hon?' Gwenodd Dafydd arni'n sigwraidd.

Ych! Sut yn y byd mawr crwn y meddyliodd ei fod e'n olygus? Roedd e'n llawn llysnafedd, fel slŷg! Dere mlaen, Sara, dere mlaen, gweddïodd yn dawel. Dere mlaen! Ac yna, haleliwia, canodd ei ffôn symudol.

'O, sgwn i pwy sy'n galw nawr?' meddai Mari gan ffugio penbleth.

'Gad e i fod, fe ffonan nhw'n ôl,' plediodd Dafydd yn llawn mêl.

'Wel, Sara fy ffrind gorau i sy'n galw, well i fi ateb. Fydde hi ddim yn ffonio os nad oedd e'n bwysig,' atebodd Mari'n frysiog.

'Helô, Sara? Be sy? Creisys adre? Ti 'di ffonio'r ambiwlans? Iawn, paid â phoeni, fydda i gyda ti whap!' Rhoddodd Mari berfformiad fyddai'n gwneud i Meryl Streep edrych fel aelod o gwmni *Am-Dram* lleol. Edrychodd ar Dafydd gan ffugio siom yn ei llygaid. 'Ma'n ddrwg iawn gen i, Dafydd, ond ma 'na argyfwng adre – rhaid i fi fynd.'

'O, ma'n ddrwg 'da fi, be sy'n bod?' holodd Dafydd gan fwytho'i braich yn gysurlon.

Balls! Doedd hi ddim wedi meddwl y byddai angen

esgus llawn arni; roedd hi wedi gobeithio y byddai'r geiriau 'argyfwng' ac 'ambiwlans' yn ddigon iddo fe, y mwlsyn busneslyd!

'Ym . . . ma fy ffrind i, Sara . . . yyy . . . wedi syrthio i lawr y grisiau yn y fflat ac yn meddwl ei bod wedi torri'i choes. Mae'r ambiwlans ar ei ffordd. Bydd raid i fi fynd adre ati, achos dim ond fi sy gyda hi.'

O'dd hwnna'n swnio'n weddol gredadwy? Eniwê, oedd 'na unrhyw ots os oedd e'n amau taw celwydd oedd y cyfan? Wedi'r cwbl, doedd hi ddim eisiau gweld y mwnci byth eto.

'O, 'na drueni,' meddai Dafydd mewn llais llyfn. 'A finne'n edrych mlaen gymaint at heno. Ond dwi'n deall yn iawn. Fe alwa i mewn i'r stiwdios i dy weld di am baned ryw ben.'

Yffach! roedd hi'n haws cael gwared o dom ci ar sawdl *stiletto* na ffarwelio gyda'r *idiot* yma!

'Ym, smo'r bòs yn lico ymwelwyr yn galw heb apwyntiad. Na . . . Ffonia i ti i drefnu rhywbeth. Hwyl.'

'Dere 'ma 'te.' Cydiodd Dafydd yn ei braich yn sydyn a'i thynnu tuag ato wrth iddi geisio gadael y bwrdd. 'Dim cusan ta-ta?'

'Sori!' dywedodd Mari gan blygu a'i gusanu'n gyflym ar ei foch. 'Dim amser.'

Cyn gadael y bar, bwrodd gipolwg yn ôl dros ei hysgwydd ar Dafydd; roedd e'n dal i yfed ei beint a sgwrsio'n ddiffwdan ar ei ffôn symudol.

Daliodd Mari dacsi i fynd i gwrdd â Sara a Helen yng Nghlwb Ifor Bach yn y dre. Ie, dêt uffernol arall, a *freak* newydd i'w ychwanegu at ei chasgliad helaeth. Gobeithiai na welai hi fe na'i wên dröedig fyth eto.

Ond roedd Dafydd yn sicr yn berson penderfynol. Yr wythnos ganlynol, bu Mari'n dileu sawl e-bost a thecst oddi wrtho, a hynny heb drafferthu eu hateb. Pryd fyddai e'n deall nad oedd diddordeb ganddi ynddo? Penderfynodd, os byddai'n anfon un neges arall ati, yna byddai'n dweud y gwir wrtho – nad oedd hi isie ei weld e eto achos ei fod e'n dwat seimllyd oedd yn ei defnyddio hi i gael swydd ym myd teledu. Dyna fyddai dysgu gwers iddo fe!

Ni chlywodd air am ddeuddydd a diolchodd ei fod, o'r diwedd mae'n debyg, wedi cael ei neges ddieiriau hithau. Roedd hi'n bnawn Mawrth ac roedd Mari'n brysur yn teipio cywiriadau ar gyfer un o sgriptiau uffernol *protégée* diweddaraf Mr Puw, y bòs. Ew, roedd hi'n flin fel cacwn yn darllen y rwtsh oedd eisoes wedi derbyn £5k o dâl! A hithau ond yn crafu bywoliaeth ar £18k y flwyddyn!

Canodd ei ffôn ac atebodd yr alwad yn biwis. Nia oedd yno, un o'i chydweithwyr yn y cwmni, ac un o'i ffrindiau gorau yn y gwaith.

'Haia, Mari. Gwranda, o'n i isie dy rybuddio di, ma'r boi 'na est ti ar y dêt erchyll 'na wythnos ddiwetha ar y ffordd draw i dy weld di! Wnaeth Heledd ei adael e trwodd cyn i fi gael cyfle i'w stopio hi!'

Heledd oedd derbynwraig y cwmni; merch neis iawn ond doedd hi ddim yn or-alluog. Un o'r teipiau fflyffi, di-ddeall 'na oedd wedi crio dagrau diddiwedd am wythnosau pan fu farw'r Dywysoges Diana yn '97 ac wedi mynd bob cam i Lundain i lygad-rythu fel *zombie* dagreuol ar y prosesiwn angladdol heb wybod yn iawn pam. Diolch i Dduw bod Nia yn y dderbynfa, er mwyn gallu ei rhybuddio rhag yr *invasion*.

Shit! Beth wnâi hi? Allai hi ddim goddef ei weld e

eto a gorfod ffugio cwrteisi rhag i glustiau mawr Mr Puw ei chlywed yn dweud wrth Dafydd am fynd i grafu. Syllodd o'i chwmpas yn wyllt, gan ddiolch ei bod ar y llawr gwaelod. Doedd ond un ffordd i ddianc rhagddo . . . Agorodd y ffenest a neidio allan fel wiwer.

Drws nesa roedd swyddfa Carys, y golygydd, lle gallai hi guddio nes i'r *arse* adael. Cnociodd y ffenest yn dawel i dynnu sylw Carys, oedd wrthi'n brysur yn gweithio. Syllodd Carys yn syn ar Mari'n gwneud arwyddion gwyllt arni i agor y ffenest. 'Mari, be ddiawl wyt ti'n wneud?' holodd Carys gan ei helpu mewn drwy'r ffenestr.

'Cuddio! Ti'n gwybod y boi afiach 'na es i ar ddêt gyda e wythnos ddiwetha? Wel, ma Nia newydd fy ffonio i nawr a dweud ei fod ar y ffordd i ngweld i yn y swyddfa. Clo'r drws, er mwyn dyn, rhag ofn ddeith e fan hyn i chwilio amdana i!'

Dechreuodd Carys giglan fel merch ysgol a chlodd y drws yn gyflym. Llechodd y ddwy yn fflat yn erbyn y drws gan wrando'n astud, ond doedd dim i'w glywed.

Ar ôl rhai munudau, dywedodd Carys, 'Reit, af i mas i weld a yw e wedi mynd.' Roedd hi'n amlwg yn mwynhau'r *espionage* annisgwyl yn ei diwrnod gwaith.

'Na! Paid!' gafaelodd Mari'n ei llaw mewn panig. 'Bydd e bownd o ngweld i wedyn!'

Ar ôl ryw bum munud o chwysu ac aros, ffoniodd Mari'r dderbynfa. 'Heledd, ody e wedi mynd? Y boi ofnadw' 'na halest ti draw i ngweld i? Mae e'n iwso fi i gael *job* yma . . . Na, dyw e ddim yn neis, Heledd. Os daw e yma eto, gwed mod i i ffwrdd neu rywbeth!'

Aeth yn ôl at ei desg yn wyliadwrus rhag ofn iddo neidio allan o ryw gornel gudd. Gwelodd ei fod wedi gadael nodyn iddi, a'i sgript hefyd. Bwrodd olwg ddirmygus ar y teitl, *Olwynion Cariad*. Ych! Cawslyd, a sarhaus i'r anabl hefyd. Heb feddwl ddwywaith, taflodd y sgript i'r bin.

Bu Mari wrthi am dair wythnos yn osgoi Dafydd yn ddygn, a difethodd sawl pâr o deits wrth ddringo drwy ffenest y swyddfa. Yn y diwedd, bu'n rhaid iddi anfon tecst surbwch ato'n dweud:

Paid â dod i ngweld i yn y gwaith eto. Does dim diddordeb gan y bòs yn dy sgript di.

'Ti ddim yn meddwl bod hwnna 'bach yn galed ar y boi?' holodd Carys oedd yn edrych dros ei hysgwydd tra oedd hi'n sgwennu'r tecst.

'Dim ond un ffordd sydd o ddelio gyda fe, Carys. Mae'n troi mewn i *stalker*!'

Chafodd hi ddim ateb i'w thecst, ac ni chlywodd siw na miw arall wrth Dafydd wedi hynny.

Rai misoedd yn ddiweddarach, pan oedd hi'n aros yn nerbynfa'r BBC i fynd i gyfarfod, gwelodd Dafydd yn cerdded yn bwysig tuag ati. *Shit*! Gobeithiai na fyddai'n gwneud *scene* o flaen pawb. Dechreuodd ddifaru ei bod wedi danfon y fath neges ddideimlad ato.

'Mari,' meddai, gan edrych i lawr ei drwyn arni.

'Dafydd,' atebodd hithau gyda chymaint o urddas â phosibl.

'O'n i'n siomedig iawn wrth ddarllen dy decst di. O'n i isie i ni gydweithio ar y sgript. Byddai wedi bod yn gyfle gwych i ti i ddringo'r ysgol yrfaol fel cynhyrchydd o safon.' Gwenodd arni'n faleisus.

'A wel,' meddai Mari'n ysgafn, 'dwi'n siŵr y gwna i ymdopi â'r siom rywsut.' Trodd yn ôl at ei chylchgrawn gan obeithio y byddai'r *idiot* yn diflannu o'i golwg yn y cyfamser.

Ond daliodd Dafydd ati, 'Wel, sdim ots ta beth. Dwi'n datblygu'r sgript fan hyn, gyda'r BBC nawr. Lle dipyn mwy safonol, gyda staff sensitif sy'n gwerthfawrogi ngwaith i.'

'O, lwyddes ti i dynnu un o'r pŵr dabs fan hyn, do fe?' meddai Mari gan wenu'n sinigaidd arno.

'Dwi ddim yn gwybod am be ti'n sôn.' Edrychodd Dafydd yn rhyfedd arni cyn troi ar ei sawdl a cherdded tuag at fenyw *glam* yn ei phedwardegau oedd yn aros amdano.

Gwyliodd Mari e'n gwenu ei wên gyfoglyd arni ac yn ei chusanu ar ei gwefusau. Ych a fi! Roedd hi'n ddigon hen i fod yn fam iddo . . . Yna, sylweddolodd Mari pwy oedd hi . . . Magi Prydderch, myn yffach i! Bòs cwmni teledu Rownd y Rîl, *man eater* mwya'r cyfryngau! Pâr perffaith!

Owen: Miss Gwefan
2000

Shit! Lle'r oedd ei sanau? Cripiai Owen fel lleidr ar hyd llawr ystafell wely Maria yn ei bants. Ceisiai gasglu ei ddillad yn dawel oddi ar y llawr a gwisgo amdano'n lletchwith. Chwyrnai Maria'n dawel yn y gwely a gweddïodd Owen na fyddai'n deffro ac yn ei ddal yn jengyd.

Pam ddiawl wnaeth e gysgu gyda hi neithiwr? Oedd, roedd y rhyw yn ocê achos fod ganddi yffach o gorff rhywiol; bronnau anferth, gwasg bychan a choesau hir ac ystwyth tu hwnt . . . Gwenodd wrth gofio'r mabolgampau cnawdol o'r noson cynt, ond cofiodd hefyd am ei sgwrs undonog, hunllefus a baglodd dros ei jîns yn ei frys i'w gwisgo amdano.

Roedd y fonolog fewnol yn ei ben yn ei arwain ac yn cadw trefn ar ei nerfau. Dyna i gyd oedd yn rhaid iddo'i wneud oedd gwisgo'i sgidie a mynd oddi yno . . . Yna, mewn awr neu ddwy, gallai ddanfon tecst bach cwrtais yn dweud 'Diolch ond dim diolch'. Ie, ffordd y cachgi, ond y ffordd hawsa o ddod allan o bicil fel hyn.

Symudodd Maria'n sydyn yn y gwely gan roi ochenaid fach iddi hi'i hun. Rhewodd Owen fel delw, ei galon yn curo'n fyddarol o uchel. Ond yna, ar ôl rhai eiliadau o ddistawrwydd, syrthiodd hi'n ôl i drwmgwsg, a pharhaodd Owen i wisgo amdano'n gyflym a thawel.

Os llwyddai i ddianc o'r ystafell wely yma, gwnâi addewid iddo'i hun na fyddai e'n mynd ar ddêt gyda merch oddi ar wefan eto! Er i'r rhyw fod yn addawol ar y dechrau, trodd yr holl beth yn hunllef wrth i Maria ddechrau siarad yn ddi-stop drwy gydol y weithred. Siaradodd yn ddi-baid am bopeth dan haul, gan gynnwys merlod Shetland ei thad, tra oedd Owen yn gwneud ei *moves* gorau arni! Dyma'r tro olaf y byddai e, Owen Davies, yn dilyn cyngor Huw ar gariad . . . O hyn allan, roedd e'n mynd i ddibynnu ar y ffordd henffasiwn o gwrdd â merched, sef meddwi'n dwll ar noson allan a gobeithio'r gorau. Mae'n rhaid ei bod hi, y ferch berffaith, mas yna'n rhywle, ac roedd e'n benderfynol o'i ffeindio hi . . . Sleifiodd mas ac anadlu'n rhydd o'r diwedd.

Dechrau'r hanes . . .

Doedd Owen ddim yn siŵr a oedd e'n gwneud y peth iawn ai peidio wrth ddilyn cyngor Huw unwaith eto ar sut i wella'i fywyd carwriaethol. Teimlai fod ffeindio cariad ar y we yn glinigaidd rywsut, a braidd yn 'drist'. Oedodd ei ddwylo ar allweddell y cyfrifiadur a phendronodd dros ddoethineb ei weithred.

'Oi, beth yw'r categori nesa?' holodd Huw a eisteddai fel brenin ar wely Owen yn ei bants amryliw yn cnoi creision yn swnllyd ac yn gwneud yffach o lanast.

'Ma hyn yn sili,' meddai Owen gan godi'i ben. 'Pwy ti'n meddwl sy'n mynd ar y pethe 'ma, e? Pobol déspret a salw sy'n ffaelu cael dêt, 'na pwy!'

'Pobol fel ti, Owen bach.'

'Diolch yn fowr, Huw!'

'Jocan achan! *God*, ti mor sensitif. Gronda, dy'n nhw ddim i gyd yn desprét a salw; mae'n rhaid bod rhywun fel ti mas 'na – rhai swil heb ddigon o hyder i wneud y *first move.*'

'Sa i'n gw'bod, Huw, dwi'n teimlo'n od am y peth.'

'Sdim rhaid i ti fynd mas 'da nhw – sneb yn gorfodi ti, ti'n gw'bod. Ond os gweli di un sy'n edrych yn neis ac yn swnio'n hanner call, be 'di'r drwg mewn cael dêt fach ddiniwed? Smo'r merched yn ciwio lan wrth dy ddrws di ar hyn o bryd, odyn nhw?'

Ystyriodd Owen hyn am eiliad ac agor ei geg i ateb ond ni chafodd gyfle i ddweud gair.

'Gronda ar Wncwl Huw nawr. *Carpe Diem, He Who Dares* . . . Y cyntaf i'r gwely gaiff garu . . . Beth tase'r fenyw berffaith yn aros amdanat ti ar y wefan 'ma a tithau'n colli'r cyfle i'w chyfarfod achos bo ti'n ormod o gachgi? Oni fyddai hynny'n drasiedi?' holodd Huw'n felodramatig.

'Trasiedi? A thrasiedi fydd hi os na fydda i hyd yn oed yn gallu llwyddo i ddenu dêts o'r wefan 'ma – wedi'r cwbl, dyma fi wedi cyrraedd y gwaelodion – *next stop, Loserville*!'

'Isht w. Cer mlaen at y categori nesa, a phaid â bod yn gymaint o fabi!'

'Sa i'n dy weld di'n rhoi dy enw i lawr,' cwynodd Owen yn bwdlyd. Roedd Huw yn dal i fod yn iawn bob tro, bastard!

'Mae gen i "drefniant" boddhaol gydag Elin, diolch yn fowr. Sdim angen *extras* arna i ar hyn o bryd.'

Elin oedd y ferch oedd ar *stand-by* gan Huw pan oedd e'n ffansïo rhyw ar ddiwedd noson. *No strings*, a'r ddau ohonynt yn hapus gyda'r trefniant – wel, hyd yn hyn ta beth.

Trodd Owen ei sylw'n ôl at y wefan. Ochneidiodd. 'Reit . . . *Sex*,' dywedodd yn ddiflas.

'Yes please!' chwarddodd Huw ar ei jôc ei hun.

'Mae'r jôc 'na mor hen, Huw! *Male seeking Female* . . .'

'Wel, ie glei, os nad wyt ti isie mynd draw i'r ochr dywyll achos smo ti'n cael lot o lwc mor belled, wyt ti?'

'Gronda, Huw, os nad wyt ti'n mynd i helpu, galli di pisan off. Reit, "What are you looking for?"'

'*Sex*!' gwaeddodd Huw.

'Ie, yn y pen draw, ond ma angen rhoi "companionship, music-lover, easy-going, attractive" – y math yna o beth,' ochneidiodd Owen gan ddarllen o'r wefan.

'Wow, boio! Ti'n meddwl bo ti'n mynd i ffeindio "Miss Perffaith" ar wefan fel hon?' Poerodd Huw'r geiriau anghrediniol ynghyd â darnau gwlyb o Wotsits dros ddwfe Owen.

'Wel,' atebodd Owen yn ceisio bod yn bositif am unwaith. 'Fel wedest ti jyst nawr, ma'n rhaid fod rhai ohonyn nhw fel fi . . . yn ddigon normal, ond jyst yn methu ffeindio rhywun i siwtio.'

'Ha! Normal! Bydden i byth yn dy alw di'n normal, Owen!'

Anwybyddodd Owen y jôc. 'Reit, cau dy geg i fi gael ticio'r bocsys. Pa oed – 18–25?'

Crafodd Huw ei ên yn feddylgar cyn dweud, 'Na, well i ti gael rhywun tipyn bach mwy aeddfed. Ti'n dipyn hŷn nawr, cofia!'

'Ocê. 25–35?'

Eisteddodd Huw i fyny'n llawn cynnwrf, 'Ie, tri deg pump, myn diain i! Ma nhw yn eu *prime* yn dri deg pump!'

Yna pendronodd am rai eiliadau ac ychwanegu, 'Ond cofia, falle bydd cwpwl o blant 'da hi erbyn hynny a chyn-ŵr sy'n edrych fel Vinnie Jones . . . Well i ti weud 21–30. *Cut off* bach teidi fanna.' Nodiodd

Huw ei ben yn gall, yn fodlon ei fod wedi rhoi sêl ei fendith ar y penderfyniad.

Ticiodd Owen y bocs olaf gan bwffian ei ryddhad. 'Ocê, bant â fe 'te. Ac os 'wedi di wrth unrhyw un am hyn, Huw, fe ladda i di!'

'Cymra *chill-pill*, 'nei di!' chwarddodd Huw yn braf. 'Wy'n disgwyl mlaen at weld y sbesimens fydd yn dy ateb di! *Woo-hoo*!' A rhwbiodd ei ddwylo gyda'i gilydd yn eiddgar mewn ystum *voyeurist*-aidd.

Wythnos yn ddiweddarach, er nad oedd Owen yn hoff o gyfaddef hynny iddo'i hun ac yn sicr nid oedd am gyfaddef wrth Huw, roedd y wefan ddêtio felltigedig fel cyffur iddo. Âi'n ôl ati sawl gwaith y dydd i adolygu ei broffil a gweld faint o ferched roedd e wedi'u denu. Ond fel yr amheuai o'r dechrau, roedd nifer ohonynt yn gwbl annerbyniol. Rhy hen, rhy dew, rhy salw, rhy dwp, rhy undonog, rhy od ac mewn un achos, rhy briod.

'Yffach!' ebychodd Huw wrth ddarllen yr ymatebion dros ei ysgwydd. ''Co beth ma hon yn ei ddweud: "Mae gennyt lygaid caredig yn dy lun a dwylo mawr ystwyth . . ." (Rhoddodd Owen yr unig lun 'cŵl' oedd ganddo ohono'i hun yn chwarae gitâr mewn gig Coleg ar ei broffil ar y wefan.) "Hoffwn i fod yn lle'r gitâr lwcus yna i ni gael gwneud cerddoriaeth melys gyda'n gilydd . . ."

'Ych!' dywedodd Owen. 'Mae'n uffernol!'

'Ydy mae hi. Mae defnyddio idiom Saesneg yn y Gymraeg yn gwbl annerbyniol, ond allwn ni ddim beio'r ferch am ei diffygion gramadegol . . .'

'Nage'r twpsyn! Mae'n rhy *cheesy* o lawer – ych!'

'Beth am hon, 'te? 'Co, "seren75" – mae hi'n swnio'n neis . . .'

'Mae'n swnio'n *normal*,' cywirodd Owen e.

'Ie, yn gwmws, a dyna beth o't ti moyn, ontefe? Merch neis, normal i gael dêt syml gyda hi, ac o bosib, ychydig o awyr iach i John Thomas druan sy wedi bod yn gaeth i'r garthen yn llawer rhy hir erbyn hyn, weden i.'

'Am be ddiawl wyt ti'n malu awyr nawr gwed? Yn gaeth i'r garthen. Ti'n *mental*.'

'Na wawdiwch fy ngallu barddonol i, plîs,' cyhoedd-odd Huw yn ffug eisteddfodol. 'Wna i ei roi e mewn geiriau plaen fyddi di'n eu deall. Cer ar y dêt, achos falle gei di *shag* a cheith dy bidyn di *workout* o'r diwedd!'

'Ie, ie, o'n i'n dy ddeall di'r tro cynta, y ffŵl!' chwyrnodd Owen. Yna trodd at Huw a dweud yn ddifrifol, 'Reit, edrych ar ei llun hi; mae'n bert, on'd yw hi?'

'Wel, odi, os yw e'n llun diweddar . . .' dywedodd Huw'n amheus.

'Be ti'n feddwl?' Cododd Owen o'i gadair mewn ofn.

'Wel, falle'i bod hi'n cafflo fel wyt ti'n ei wneud. Dim ond dau ddeg tri wyt ti yn y llun rhoies di mewn, cofia.'

'Ie, ond beth yw cwpwl o flynydde?'

'Lot i rai pobol,' dywedodd Huw yn wybodus. 'Drycha ar Elvis. Yn 1968 roedd e'n "lean mean fighting machine" ar ei *Comeback Tour* mewn *jumpsuit* lledr. Ond erbyn 1971, ar ôl lot o bancws a byrgyrs, roedd e fel morfil mewn *mumu*!'

'Beth yffach yw *mumu*?' holodd Owen mewn penbleth.

'Ffrogiau mawr Hawaiaidd ma pobol tew yn eu gwisgo.'

'Sa i'n gwrando rhagor! Wy'n mynd i ofyn i seren75 ddod mas am ddrinc 'da fi wythnos nesa, ocê?'

Teimlai Owen yn ofnadwy wrth eistedd yn chwysu yn ei sedd yn aros am seren75. Roedd wedi eistedd yn ymyl y ffenest ym mar Rosie yn y Bae, ei nerfau'n rhacs wrth lygadu'r merched a gerddai i mewn i'r bar a gweddïo'n dawel, pan welai sbesimen arbennig o dodji, nad hi oedd seren75. Roedd Owen wedi disgrifio'i bryd a'i wedd iddi, a gobeithiai i'r nefoedd y byddai yntau'n ei hadnabod hithau wrth ei llun.

Teimlai Owen beth ryddhad wrth weld Mari, y ferch bert o gyfweliad Rownd y Rîl; roedd un wyneb cyfarwydd yno o leia. Aeth draw i siarad â hi er mwyn sadio'i nerfau. Trueni nad oedd e wedi bachu ar ei gyfle a gofyn iddi am ei rhif ffôn. 'Nôl yn ei sedd wrth y ffenest, melltithiodd Owen ei hun am ei swildod lletchwith. Ond wedyn, byddai hi wedi bod yn sicr o'i wrthod wedi gweld ei bod hi ar ddêt gyda rhyw dwat seimllyd arall mewn siwt. Eniwê, roedd e yma i gwrdd â seren75, os byddai'n ymddangos.

Yna gwelodd hi, a diolch i'r Bod Mawr, roedd hi'n ddelach na'i llun ar y wefan hyd yn oed. *Shit*! Beth os oedd e wedi newid gormod ers tynnu'i lun e? Beth os oedd e go iawn wedi gadael ei hun i fynd yn ystod y tair blynedd ac wedi mynd i edrych fel Elvis-byta-byrgyrs? Beth petai'r ferch yma'n cael un cipolwg arno ac yn ei heglu hi o 'na? Ond daeth gwên i'w hwyneb pan welodd hi Owen a cherddodd tuag ato'n sionc.

'CadnoCariad?'

'Ym . . . ie,' atebodd Owen yn llawn embaras. CadnoCariad! Un arall o awgrymiadau athrylithgar Huw.

Eisteddodd seren75 i lawr gyferbyn ag ef a thynnu pecyn o sigaréts o'i bag. Diolch byth, roedd hi'n smygu! Roedd e jyst â marw eisiau ffag ond heb feiddio estyn am un rhag ofn ei bod hi'n un o'r bobl hynny oedd yn erbyn smygu.

'Maria,' gwenodd arno.

'Owen,' gwenodd yn ôl. 'Hoffet ti ddiod, Maria?'

'Gwin gwyn, plîs.'

'Olreit, fydda i ddim eiliad.'

Sylwodd yn gyflym wrth symud tuag at y bar fod ganddi fronnau eithriadol o fawr o dan ei thop llaes. Gwenodd. Roedd Duw yn hael . . .

Awr yn ddiweddarach, ac roedd Owen wedi newid ei feddwl ynghylch haelioni'r Bod Mawr. Roedd ceisio creu sgwrs gyda'r fenyw yma'n dipyn o sialens. Fel dywedai ei hoff gymeriad sitcom, Frasier, nid 'small talk' oedd gan hon ond 'teeny talk'! Teimlai Owen siom fawr, a hithau mor rhywiol ac yn eithriadol o ddel hefyd, ei gwallt hir tywyll brown yn gorwedd ar ei hysgwyddau gwynion, ei llygaid mawr glas a'i blew amrannau hir cyrliog, prydferth . . . Rhoddodd gynnig arall arni – roedd ei golwg hi'n gofyn am ymdrech lew o leia, 'So, un o Benarth wyt ti'n wreiddiol, Maria?'

Atebodd Maria gyda *twang* dinesig i'w Chymraeg, 'Ie, Penarth, o'dd Mam a Dad isie ca'l lle bach tawel wrth y môr. Cymry Llundain y'n ni'n wreiddiol.' Yna bu tawelwch.

Ffugiodd Owen ddiddordeb yn ei hachau teuluol. 'O, wy'n gweld. Est ti i Ysgol Gymraeg Llundain, do fe?'

'Na, es i Howells Girls' School yng Nghaerdydd, ond ma Mam wastad yn dweud taw pobol Llundain y'n ni go iawn.'

Yna chwarddodd Maria chwerthiniad fel cathod yn cweryla, a fferrodd gwaed Owen yn ei wythiennau. Lladdwch fi nawr, meddyliodd. Blydi Huw a'i syniadau gwych!

Palodd ymlaen yn ddygn, 'O dwi'n gweld . . . Beth yw dy waith di 'te?' Doedd gan Owen yr un pripsyn o ddiddordeb yng ngwaith y plocyn pren pert.

Atebodd Maria'n ddigon difater, 'Wel, dwi ar brofiad gwaith ar hyn o bryd gyda'r Bwrdd Croeso, er dwi ddim yn meddwl bod llawer o atyniadau twristiaidd yng Nghaerdydd, yn anffodus.' Chwarddodd eto a pheidiodd holl adar y byd ganu.

'Beth wyt ti isie wneud wedi hynny?' holodd Owen yn gwrtais, er nad oedd ganddo ronyn o ddiddordeb yn yr hwch *boring*, snobyddlyd.

Chwarddodd Maria ei chwerthiniad hyll unwaith eto a bu farw rhywbeth yn ddwfn yn enaid Owen. Rhoddodd Marie law fflyrti ar ei fraich, 'Hei, *hold on*. Cym'ra bwyll, Owen, dy'n ni heb gael ein prif gwrs ni eto!'

O Dduw! Ffugiodd Owen ei fod yn gwerthfawrogi ei digrifwch. 'Na, dy swydd o'n i'n ei feddwl.'

Tytiodd Maria o dan ei hanadl at ddiffyg hiwmor ei dêt, 'Ie, ie, dwi'n gwybod! *Lighten up*, Owen bach. Hei, dwi'n teimlo mod i mewn cyfweliad am swydd fan hyn!' Chwerthiniad erchyll arall.

Yna bu saib lletchwith yn y sgwrs am yr hyn a deimlai fel oriau, ac Owen yn dychmygu'r *tumbleweed* yn chwythu ar draws Bar Rosie. Beth allai e ei ddweud nesa? Oedd pwynt dweud rhagor? Oni fyddai'n well rhoi'r ffidil yn y to, dweud ta-ta wrth yr ast wirion a pheidio â gwastraffu mwy o'i amser ef na hithau ar ddêt a grewyd yn uffern?

Synhwyrodd Maria ei boen meddwl a dweud yn nawddoglyd, 'O Owen, druan â ti! Ai dyma dy *blind date* gynta di o'r wefan?'

Edrychodd Owen arni'n syn cyn ymateb, 'Yym . . . ie. A ti?'

Chwarddodd Maria'n uchel, a gwingodd Owen, 'O, nage! Dwi'n hen law erbyn hyn! "Try before you buy", yndê?'

Suddodd calon Owen. Roedd e, yn ôl ei arfer, wedi dewis y twrci olaf yn y siop. Dywedodd yn dawel, wrtho'i hun bron, 'Dwi ddim yn meddwl y bydda i isie pwdin . . .'

Ond parhaodd Maria i siarad a chlywodd hi 'run gair. 'Ydy, mae'n anodd cael y *chemistry* yn iawn yn y pethe 'ma. Ond dwi'n teimlo'n bositif iawn amdanon ni, Owen, dwi'n meddwl bod 'na rywbeth rhyngddon ni'n barod . . .'

'Wyt ti?' holodd Owen yn wan. Yna sylwodd o gornel ei lygad fod Mari wedi gadael y bar erbyn hyn. Damia! Trueni na fuasai e wedi ei gweld hi'n gadael, gallai fod wedi mynd ar ei hôl hi a gofyn am ei rhif ffôn.

Trodd ei olygon yn ôl yn flinedig at Maria, oedd yn gwenu arno'n fflyrti ddrygionus. Er mawr syndod iddo, dechreuodd hi chwarae *footsie* gyda'i draed o dan y bwrdd.

Dechreuodd Owen ailystyried ei strategaeth am y noson. Roedd hi'n ddel, doedd e heb gael rhyw ers achau . . . Falle y gwnâi'r berthynas ddatblygu ar ôl iddyn nhw gysgu gyda'i gilydd . . .

Yna clywodd y llais bach y tu mewn iddo, y llais bach angylaidd oedd bob amser yn ei brocio pan fyddai'n meddwl gyda'i bidyn ac nid gyda'i ben. Mae perthynas i fod i ddatblygu CYN i ddyn gysgu gyda menyw, Owen! Bai Huw oedd hyn i gyd. Ocê, doedd e ddim am gysgu gyda hi. Dim o gwbl, ar unrhyw gyfri! Ddim am bris y byd. Wel . . . falle ddim . . .

Pennod 5

Mari: Mr Manig
2000

Diwedd y berthynas . . .

'Be sy'n bod?' Roedd Mari'n benderfynol o geisio chwilio am rywbeth ysgafn i'w ddweud er mwyn torri'r awyrgylch lletchwith rhyngddynt, ond methodd.

'Mari. Dwi 'di bod yn meddwl lot amdanon ni . . . A dwi'n meddwl y byddai'n well i ni orffen pethe.'

'Pam? Ti ddim yn 'i feddwl e! Un o'r pyliau o iselder 'na yw e, Rob.'

'Na, dyw e ddim byd i wneud â'r iselder. Dwi'n meddwl bod Sara a Helen yn iawn; ti'n bihafio mwy fel mam i fi na chariad. A dyw e ddim yn deg mod i'n rhoi'r fath bwysau arnat ti . . .'

'Dwi'n gwybod mod i wedi bod yn ffysian lot yn ddiweddar, mi wna i drio peidio . . . Ond dyw e ddim yn rheswm i ni orffen pethe felna. Ti *yn* gwella, wedodd y seicolegydd 'ny. Paid gwrando ar Helen a Sara, dy'n nhw'n deall dim!'

Melltithiai Mari'r ddwy am siarad mor agored am y peth yn yr ysbyty; doedd hi ddim wedi sylweddoli bod Rob wedi clywed pob gair.

'Ar hyn o bryd dwi'n sefydlog, ond pwy a ŵyr sut fydda i fory, wythnos nesa'r neu flwyddyn nesa? Dwi jyst ddim mewn lle i gynnig dim i ti, Mari . . . Sboner normal sy'n mynd â ti mas i gael hwyl ac sy'n gallu cynnig *sex life* ffantastig i ti, nid dy gadw di ar *suicide watch* trwy'r amser!'

'Paid dweud 'ny,' protestiodd Mari a'r dagrau'n dechrau llifo.

'Ti 'di bod trwy gymaint o'n achos i yn barod,' dywedodd Rob yn dawel. 'Ond dwi'n gwybod taw dyma'r peth gorau i'r ddau ohonon ni. A ffeindi di rywun arall fydd yn dy siwto di . . . Rhywun sy ddim yn nyts i ddechre!' Chwarddodd yn chwerw.

'Wy ddim isie rhywun arall! Ti wy'n ei garu a dwi ddim yn becso bod ti'n dost!'

'Ti'n dweud hynny nawr, ond mewn amser byddi di'n dechrau nghasáu i. Dwi ddim isie hynny. Ma'n well i ni orffen pethe nawr tra'n bod ni'n gallu bod yn ffrindie.'

'Ffrindie! Ti'n gwybod na allwn ni fod yn jyst ffrindie! Dyw hen gariadon byth yn ffrindie!'

'Mewn amser, falle?'

Cododd Mari ar ei thraed yn araf. Roedd ei chalon yn brifo a gallai weld wrth ei lygaid na fyddai'n gallu dweud dim wrth Rob i newid ei feddwl.

'Wel, ta-ra 'te! Diolch yn fawr am wastraffu'n amser i!' Roedd y caledi yn ei llais yn gwrth-ddweud y dagrau.

'Ma'n ddrwg gen i, Mari,' sibrydodd Rob yn gryg.

Methodd Mari ddweud gair arall. Edrychodd ar Rob am eiliad arall a rhedeg allan o'i fflat yn beichio crio, yr udo'n chwydu o'i cheg heb unrhyw reolaeth arno. Neidiodd yn ddi-weld i mewn i'w char a dechrau gyrru fel peth gwyllt. Doedd dim yn gwneud synnwyr iddi mwyach, heb Rob. Welodd hi mo'r boi ar y beic nes iddi glywed crac yr ergyd yn erbyn ochr y car.

Beth ddigwyddodd cynt . . .

Deffrodd Mari o drwmgwsg meddwol gan deimlo'n rhyfedd. Syllodd o'i chwmpas a gweld ei bod mewn ystafell wely eitha blêr. Hongiai hen bosteri bratiog ar y waliau – Stone Roses, Nirvana, Blur. Safai cwpwrdd unig yng nghornel yr ystafell ac ynddo roedd crys a thei a siaced siwt ar hangyr. Ar y llawr, roedd stereo mawr a thomen o CDs, hen ddesg ar ochr bella'r ystafell a theledu bychan a chwaraewr DVDs ar ei ben. Nofiai un pysgodyn aur mewn tanc plastig ar sil y ffenest a gorweddai gitâr acwstig ar yr unig gadair.

Doedd ganddi ddim atgofion o'r noson cynt. Trodd yn araf i edrych ar y creadur oedd yn rhannu'r gwely gyda hi . . . Gorweddai bachgen golygus iawn wrth ei hochr yn ddelw llonydd. Roedd ganddo wallt brown golau, wyneb deniadol, blew amrannau hir iawn a gwefusau llawn.

Daeth ddigwyddiadau'r noson flaenorol yn ôl iddi'n ara deg. Roedd hi, Sara a Helen wedi mynd allan i Bar Cuba'n y dre i ddathlu pen-blwydd Helen. Wedi yfed llond pwll nofio o Tequila rhyngddynt ac yna . . . Daeth fflach *technicolour* i'w chof ohoni hi a'r bachgen golygus wrth ei hochr yn snogio'n wyllt wrth y bar. Oedd hi wedi cysgu gydag e? Amheuai'n fawr ei bod mewn unrhyw stad i gyflawni'r weithred neithiwr. Rhoddodd ei llaw yn betrus ofalus rhwng cynfasau'r gwely a diolchodd fod ei throwser a'i nicers yn dal yn ddiogel amdani.

Deffrodd y bachgen yn ei hymyl yn araf a sylwodd fod ganddo'r llygaid glasaf iddi eu gweld erioed, fel llygaid Steve McQueen yn *The Thomas Crown Affair* . . . Gobeithiai na fyddai e'n difaru ei gweld hi wrth ei ochr!

Gwenodd arni a threiddiodd ei lygaid *lapis lazuli* yn ddwfn i mewn iddi. 'Mari, dere 'ma.' Lapiodd ei freichiau cryfion amdani.

O mai god, roedd e'n gw'bod ei henw . . . Rob! Ie, dyna oedd ei enw, Robert! Diolch byth ei bod yn cofio. Symudodd tuag ato a gorwedd yn hapus yng nghysgod ei gesail.

'Sut ti'n teimlo?' holodd yn dawel gan fwytho'i gwallt yn gariadus.

'Chydig o gur pen 'na i gyd.' Gweddïodd nad oedd e'n gallu arogli ei hanadl bore, oedd yn gwynto fel blwch-llwch Dot Cotton.

'Af i i neud paned i ni mewn munud,' a chusanodd hi'n dyner.

So far, so good, meddyliodd Mari. Cododd Rob yn bwyllog o'r gwely a sylwodd ei fod yn gwisgo'i bants a chrys-T. Bocsers digon chwaethus oedd amdano, diolch byth. Roedd dynion mewn *Y-fronts* yn *big no-no* – roedden nhw'n ei hatgoffa hi'n ormodol o *Y-fronts* mawr llac ei thad. Edrychodd arno'n gwisgo'i jîns amdano. Yffach! Roedd e'n dal iawn – chwe throedfedd pum modfedd o leia. Ac er bod ei gorff yn denau, roedd ganddo'r math o ysgwyddau llydan yr hoffai gymaint mewn dyn.

'Llaeth a siwgwr?' holodd Rob a phlygu tuag ati i'w chusanu eto.

'Llaeth a hanner llwyaid o siwgwr plîs.' Gwenodd arno, a gobeithio nad oedd ei mascara wedi rhedeg yn wyllt ar draws ei bochau.

Yn syth ar ôl iddo adael yr ystafell i wneud y te, cododd Mari o'r gwely a rhuthro at y drych bychan ar ddrws mewnol ei wardrôb. Syllai merch ddryslyd, flêr yn ôl arni. Roedd ei llygaid gwyrdd yn edrych yn flinedig a'i gwallt fel pigau porciwpein. Roedd y mascara o dan ei llygaid wedi sychu'n llwch du, blêr, gan wneud iddi edrych fel glöwr ar ddiwedd shifft. Tynnodd hances bapur allan o boced ei jîns a dechrau rhwbio'i hwyneb yn galed, roedd dim colur yn well na hen golur.

Neidiodd yn ôl i'r gwely a suddo'i phen poenus yn ddiolchgar yn ôl i mewn i'r gobennydd. Rhaid iddi fod yn fwy gofalus tro nesa roedd hi allan am sesh, meddyliodd. Gallai'r Rob 'ma fod wedi bod yn *psycho* neu rywbeth. Petai ei mam yn gwybod ei bod hi'n mynd adre'n aml gyda 'dynion dierth', buasai'n cael ffit. Ond doedd dim rhaid iddi boeni, roedd Rob i weld yn eitha normal. Estynnodd am ei ffôn symudol o'i bag a sylwi bod tecst yn aros amdani wedi'i anfon gan Helen.

Oi, slapper! Pryd ti'n dod adre? A be wnes ti gyda'r hync 'na neithiwr? Hxx

Tecstiodd yn ôl yn gyflym rhag ofn iddo ddod mewn a'i dal hi wrthi.

Heb wneud dim ond cysgu! Mae e'n lyfli – dal yma. Nôl nes mlaen. M xx

Doedd hi ddim eisiau aros yn rhy hir rhag ofn iddo syrffedu arni. Penderfynodd yfed y baned ac yna âi adre ac aros iddo ei ffonio i drefnu dêt arall. Cynllun da, Mari.

Daeth Rob yn ôl i'r ystafell gyda dau fŷg o de. 'Ar ôl i ni gael rhain, be am fynd i'r caff drws nesa am *fry-up*? Rhywbeth i socian y Tequila 'na i fyny,' awgrymodd.

Gwenodd Mari; roedd yn amlwg nad oedd e'n difaru ei gwahodd hi 'nôl neithiwr. Yfodd y te'n ddiolchgar a sylwodd fod Rob yn gwbl gartrefol yn ei chwmni, fel roedd hi yn ei gwmni fe. Doedd dim seibiannau lletchwith, llawn embaras, ar ôl y noson cynt. Roedd yn teimlo fel petaen nhw i fod gyda'i gilydd. O blydi hel! Dyma hi eto yn barod i syrthio am ddyn jyst achos ei fod e'n glên tuag ati a heb ei thaflu mas o'i fflat. Âi am y brecwast, wedyn adre, penderfynodd.

Wrth fwyta plataid enfawr o gig moch, selsig, wy a thomatos tun yn y caffi bach seimllyd, dechreuodd y ddau ohonynt ddysgu mwy am ei gilydd. Gweithiai Rob fel clerc i gwmni o gyfreithwyr lleol, ond ei uchelgais oedd bod yn sgwennwr sgriptiau ffilm. Ac roedd ganddo'r un chwaeth â hi'n gwmws mewn ffilmiau – *Betty Blue* oedd ei hoff ffilm, a'i hoff fand oedd y Beta Band. Derbyniol iawn, meddyliodd Mari, er i fod yn onest, gallai Rob fod yn ffan o Céline Dion a ffilmiau Kevin Costner a byddai hi'n dal i'w ffansïo. Doedd hi ddim yn meddwl ei bod hi erioed wedi ffansïo rhywun gymaint. Wyneb golygus, gwên oedd yn toddi ei thu mewn, ac roedd y llygaid yna'n anhygoel . . . Oedd e allan o'i *league* hi? Meddyliodd Mari am hyn wrth ei wylio'n talu am eu brecwast wrth y til yn y caffi.

Roedd yn dalach na'r dynion eraill yn y ciw ac yn sefyll allan fel darn o gelfyddyd hynod gain yng nghanol geriach plastig. Roedd e'n *gorgeous* . . . Stopiodd ei hun rhag glafoerio drosto ymhellach rhag ofn mai jyst yn bod yn garedig oedd e, ac na fyddai hi byth yn clywed oddi wrtho eto. Pan ddeuai'n ôl, meddyliodd Mari'n bendant, byddai'n esgusodi ei hunan ac yn dychwelyd i ddiogelwch ei hystafell wely ei hun a jyst gweddïo y byddai'n ei thecstio.

'Reit,' cyhoeddodd Rob ac eistedd yn ei hymyl wrth fwrdd y caffi. 'Beth nawr? Beth am fynd i'r pỳb am gwpwl o beints – wy'n ffansïo *hair of the dog*!'

'Wel, dwi'n edrych fel drychiolaeth i ddechre.'

Roedd y syniad yn un eitha apelgar, ond byddai'n rhaid iddi dwtio'i hun ychydig. Diolch byth fod ganddi golur a brwsh gwallt yn ei bag.

'Ti'n edrych yn lyfli,' mwmiodd Rob yn isel yn ei chlust. 'Dim ond cwpwl, dere . . . Dim ond os wyt ti isie, wrth gwrs . . .'

'Wy'n siŵr galli di mherswadio i,' atebodd Mari gan fflyrtio gydag e. O'r diwedd, dyma ddyn agos i'w chalon, yn dweud beth oedd e eisiau heb chwarae gêmau a gadael iddi aros adre am hydoedd yn disgwyl tecst a fyddai fel arfer yn cyrraedd rhyw dridiau ar ôl eu cyfarfyddiad cyntaf – a hithau heb fedru symud mlân â'i bywyd wedi aros fel iâr glwc yn gori wy.

Gwibiodd y diwrnod yn ei flaen wrth i'r ddau ohonynt ddarganfod bod ganddynt yr un hoffter am *gin and tonic* a phybs tywyll a thawel. A diolch i Dduw, roedd Rob hefyd yn smygwr. Methodd Mari gredu ei lwc yn bachu'r fath greadigaeth berffaith.

Roedd hi'n tynnu at ddau o'r gloch y bore pan ddywedodd Rob, 'Lle fi neu dy le di?'

'Mae dy le di'n agosach,' gwenodd Mari gan geisio peidio â neidio lan a lawr mewn llawenydd . . . Roedd hi'n ysu am gyfle i'w ddangos i'r merched, ond roedd hi hefyd eisiau sesiwn garu'n breifat heno gyda Rob, heb Helen a Sara'n tynnu'i choes y bore canlynol am fod yn 'hawdd'.

Gwenodd Mari wrth i'r ddau ddringo'r grisiau i fyny i'w fflat gan gofio nad oedd hi wedi bod adre ers y noson cynt. 'Wy fel y boi yna yn y ffilm, *The Man Who Came to Dinner*, yr un o'dd yn gwrthod mynd adre,' meddai wrth Rob pan dynnodd hi i mewn i ystafell wely'r fflat.

'Nag wyt ddim. Dwi isie i ti fod yma,' gwenodd, gan adnabod y gyfeiriadaeth yn syth.

'Wel, bydd raid i fi fynd adre bore fory. Mae angen cawod a nicers glân arna i!'

'Allwn ni wastad gael cawod gyda'n gilydd nawr . . .'

Doedd hi heb siafio'i choesau ers rhai dyddiau, cofiodd. A beth am y *cellulite* melltigedig ar ei choesau? Ond rhoddai'r alcohol a lifai trwy'i gwythiennau hyder iddi. 'Esgus i ngweld i'n noeth ife, Rob?'

'Wrth gwrs,' gwenodd yntau a thynnu'i ddillad o'i blaen hi.

Tynnodd Mari ei dillad hithau hefyd a sylwodd fod ei lygaid glas yn crwydro'n farus dros ei chorff. Diolch i Dduw ei bod wedi gwisgo nicers a bra lês oedd yn matsio, am unwaith.

Doedd hi erioed wedi cael cawod gyda boi o'r blaen. A bod yn onest, roedd ganddi gymaint o *hang-ups* am ei chorff, doedd hi erioed wedi ffeindio'r syniad yn un erotig tan nawr. Gwasgai corff caled a chryf Rob yn ei herbyn gyda'r dŵr cynnes yn llifo i lawr ei bronnau, a gwyddai y byddai'n bendant yn cael rhyw gydag e nawr.

Gwyddai Mari fod Rob hefyd yn teimlo'r un dyhead wrth iddo ei chusanu'n chwantus. Teimlai ei ddwylo'n mwytho rhwng ei choesau, ac roedd ei bidyn sylweddol yn galed yn erbyn ei bol. Diolch i Dduw ei bod hi'n dal, neu byddai'r weithred yn amhosibl meddyliai wrth iddo blymio i mewn iddi . . . Ac am y tro cyntaf erioed, cafodd *orgasm* dirgrynol heb fawr o *foreplay*.

Bu'r ddau yn caru'n danbaid y noson honno a gwyddai Mari ei bod wedi syrthio'n galed am Rob eisoes wrth iddi ei wylio'n cysgu'n angylaidd y noson gynt. Gweddïai ei fod yntau'n teimlo'r un fath tuag ati hi.

Y bore wedyn, deffrodd gan sylweddoli nad oedd Rob wrth ei hochr. Trodd i edrych ar y darn gwag o wely. Oedd e'n difaru? Oedd hi wedi perfformio'n ddigon da iddo fe? Wedi'r cwbl, roedd yn gwbl amlwg ei fod e'n brofiadol iawn. Cydiodd yn ei ffôn symudol gan obeithio nad oedd Helen a Sara'n poeni'n ormodol amdani. Roedd yna dri thecst oddi wrthynt yn holi lle'r oedd hi. Danfonodd decst brysiog at y ddwy.

Sori, wedi aros eto yn nhŷ Rob. Nôl wedyn addo! M x

Daeth Rob i mewn i'r ystafell wely gyda phaned iddi. Gwenodd arni a dweud yn dawel, 'Roedd neithiwr yn *mindblowing*, Mari.'

Gwridodd Mari gan deimlo'n falch ei bod wedi ei blesio a dywedodd yn gyflym, 'Dwi ddim fel arfer yn bod mor slyti ar y dêt cyntaf . . .'

'Na fi,' chwarddodd Rob. 'Ond dwi ddim yn difaru.'

Eisteddodd y ddau yn y gwely i wylio hen ffilm ddu a gwyn ar y teledu bach a sylwodd Mari'n syth taw hen ffilm Bette Davis oedd hi. Trodd at Rob yn wên o glust i glust, ''Co be sy arno. *The Man Who Came To Dinner*!' Chwarddodd Rob, ei thynnu tuag ato a'i chofleidio'n dynn.

Dechreuodd Rob a hithau ganlyn yn selog, ac am y mis cyntaf roedd pob dim yn berffaith. Cynhesodd Helen a Sara ato'n syth ac roedd hi'n treulio bron bob nos yn ei gwmni. Tra oedd y ddau yn gwylio *One Flew Over The Cuckoo's Nest* ar DVD yn fflat Rob un noson, sylwodd Mari nad oedd fawr o sgwrs ganddo. 'Ti'n iawn?' holodd.

Trodd Rob i'w hwynebu a dweud yn lleddf, 'Ydw.

Gwranda, Mari, dwi 'di bod isie gweud rhywbeth wrthot ti ers sbel.'

Beth nawr? Oedd e'n briod? Oedd ganddo blant? Oedd e'n hoyw? Na, ddim gyda'i *sex drive* e! Teimlodd Mari don o siom enfawr yn torri drosti. Dylai hi fod wedi dysgu erbyn hyn nad oedd y dyn perffaith yn bodoli. Beth oedd yn bod ar hwn nawr? Sythodd ei chorff, yn barod ar gyfer ei gyfaddefiad. Gwyddai wrth edrych ar ei wyneb nad oedd yn rhywbeth positif.

'O'n i ddim isie dweud wrthot ti'n syth . . . Ond dwi'n teimlo y galle'r berthynas yma fod yn un ddifrifol, a dwi ddim isie cuddio dim byd oddi wrthot ti.'

'Galli di weud unrhyw beth wrtho i,' anogodd Mari ef gan ceisio bod yn gefnogol. *Unrhyw beth heblaw bod gen ti lond tŷ o blant a* fetish *am ddillad isa merched,* plediodd yn ei phen.

Saib.

'Dwi'n *manic-depressive,* Mari . . . Dwi'n gorfod cymryd meddyginiaeth go gryf i'w gadw fe dan reolaeth.'

Ochneidiodd Mari mewn rhyddhad; roedd hi wedi dychmygu pethau llawer gwaeth. Doedd hi ddim yn gwybod rhyw lawer am *manic depression* – dim ond bod Vivien Leigh, ei hoff actores, wedi dioddef o'r salwch a'i fod, ar ôl chwarter canrif, wedi gyrru cariad mawr ei bywyd, Laurence Olivier, i freichiau dynes arall.

'Dwi'n falch dy fod ti wedi dweud wrtha i.' Mesurodd Mari ei geiriau'n bwyllog. Gwyddai fod yn rhaid ymdrin â hyn yn sensitif; roedd yn gwbl amlwg fod Rob yn poeni'n arw am ei hymateb i'r newyddion. 'Dwi ddim yn gw'bod rhyw lawer am y . . . cyflwr, ond dyw e ddim yn gwneud gwahaniaeth i'n nheimladau i tuag atat ti.'

Cododd Rob ar ei draed gan ddechrau cerdded yn ôl a mlaen, yn amlwg yn brwydro gyda'i emosiynau. 'Ces i *diagnosis* gan y doctor pan o'n i'n un ar bymtheg,' esboniodd. 'O'dd Mam a Dad yn ffaelu deall pam o'n i mor ansefydlog, un funud yn *hyper* a'r funud nesa'n diodde o iselder ofnadw. Gorffes i adael Coleg pan o'n i'n ugain oed, a threuliais i chwe mis mewn ysbyty meddwl. O'dd e'n gyfnod rili anodd.'

Ysbyty meddwl! Ffyc! meddyliodd Mari. Oedd hi wedi rhwydo *psycho*? Ond bwrodd yr agwedd negyddol a chreulon hon o'i phen; roedd yn rhaid iddi fod yn gefnogol. Wedi'r cwbl, roedd e'n edrych yn gwbl sefydlog nawr. 'Ond mae'r tabledi'n gweithio'n iawn erbyn hyn?'

'Rhan fwyaf o'r amser,' nodiodd Rob, yn amlwg wedi ymlacio wrth weld ei bod hi o leia'n barod i drafod y peth ymhellach. 'Dwi jyst isie dy rybuddio di, dyna i gyd. Mae Lithium yn gyffur cryf. Ma nhw'n gorfod 'i fonitro fe trwy roi profion gwaed cyson i fi.'

'Oes 'na wellhad?' holodd Mari'n obeithiol.

Chwarddodd Rob chwerthiniad byr, oedd bron fel gwaedd. 'Na, ma jyst rhaid i fi fyw gyda fe. Ac os wyt ti isie bod yn rhan o mywyd i, bydd yn rhaid i ti fyw gyda fe hefyd.'

Cododd Mari ar ei thraed gan gerdded tuag ato a lapio'i breichiau'n dynn amdano. 'Rob, wy'n dwlu arnat ti, a wy ddim yn becso taten am y *manic-depression* 'ma. Y'n ni'n hapus iawn gyda'n gilydd, a wneith dim byd newid hynny.'

Gwenodd Rob arni'n drist, a'i chusanu'n ysgafn. 'O'n i jyst isie gweud. Aeth pethe go chwith gyda ngariad diwetha i, achos y salwch . . . O'n i jyst isie i ti w'bod y ffeithie cyn i bethau fynd yn rhy ddifrifol rhyngon ni.'

'Wy'n hapus ar fel ma pethe'n mynd hyd yma, Rob,' gwenodd Mari gan geisio codi gwên ar ei wyneb yntau. 'Os wyt ti'n hapus . . . Cymerwn ni un dydd ar y tro,' dywedodd yn gadarnhaol.

'Dwi mor lwcus mod i wedi dy gyfarfod di, Mari. Dwi'n meddwl y byd ohonot ti.'

Mwythodd Mari ei wallt yn eu coflaid, roedd hi'n rhy hwyr i dynnu mas nawr, roedd hi dros ei phen a'i chlustiau mewn cariad â Rob. A doedd rhyw dipyn salwch ddim yn mynd i'w rhwystro hi chwaith.

Roedd hi'n fis Hydref, a Rob a hithau wedi bod yn canlyn ers wyth mis bellach. Bu Mari'n gefnogol iawn iddo, yn mynd ag ef yn ei char i'w apwyntiadau yn y clinig ym Mhen-y-bont er mwyn gwneud y profion gwaed achlysurol a gofalu ei fod yn bwyta'n gyson ac yn torri i lawr ar yr alcohol. Bu'n ymchwilio'r cyflwr ar y We a sylweddolodd yn go fuan ei fod yn dipyn fwy difrifol na'r hyn a dybiodd i ddechrau. Pan rannodd y newyddion gyda Helen a Sara, daeth yr un olwg negyddol fel cwmwl ar hwynebau'r ddwy, felly wnaeth hi ddim sôn rhagor wrthynt. Ni soniodd chwaith nad oedd Rob wedi bod eisiau cysgu gyda hi ers deufis, ei fod yn yfed mwy nag erioed, a'i fod wedi gadael ei swydd fel clerc ac yn gweithio'n ysbeidiol y tu ôl i'r bar yn un o dafarndai gwyllta'r dre.

Ni soniodd wrth neb chwaith fod ei hwyliau wedi gwaethygu'n enbyd yn ystod yr wythnosau diwethaf. Roedd ei lygaid gleision yn cymylu pan fyddai'r iselder yn ei fwrw a hithau'n methu gwneud dim i'w gyrraedd er mwyn ceisio helpu. Gwnâi ei gorau glas i fod yn amyneddgar a chefnogol, ond daeth popeth i uchafbwynt annymunol ar noson ei phen-blwydd.

Roedd Mari wedi trefnu iddi hi a Rob fynd allan am bryd o fwyd rhamantus yn y Bae ac wedi prynu ffrog newydd ar gyfer yr achlysur. Trefnodd fod Rob yn dod draw i'w thŷ i'w chasglu am saith er mwyn iddynt gael diod cyn y pryd bwyd. Roedd e wedi bod yn dawedog iawn yn ystod yr wythnos honno, ond gobeithiai Mari y byddai noson allan yn codi ei hwyliau.

Eisteddai yn ei ffrog newydd yn yfed gwydraid o *cava* gyda Helen a Sara yn eu hystafell fyw, yn aros i Rob ymddangos. Erbyn hanner awr wedi saith, roedd Mari wedi cael llong bol o aros amdano a phenderfynodd ffonio'i ffôn symudol. Gadawodd i'r ffôn ganu nes iddo glicio i'r peiriant ateb. Ceisiodd gadw'i llais yn ysgafn wrth adael neges, 'Haia, fi sy 'ma. Jyst yn gwneud yn siŵr bo ti'n cofio am heno. Ma'r bwrdd wedi'i drefnu am wyth . . . Siŵr dy fod di ar dy ffordd. Ta-ra.'

Gallai weld Sara a Helen yn edrych ar ei gilydd yn bryderus. Lle'r oedd e? Roedd e'n gwybod ei bod hi 'di bod yn edrych mlaen at y noson ers ache! Byddai Mari'n gynnar i bob apwyntiad ac roedd hi'n casáu bod yn hwyr i unman. Llusgodd yr oriau heibio'n boenus o araf, ac erbyn deg o'r gloch sylweddolodd Mari na fyddai'n ymddangos o gwbl.

'Gwranda,' dywedodd Sara'n dawel, 'falle ei fod e'n anhwylus . . . ti'n gw'bod . . . y salwch. Gad e i fod, dwi'n siŵr bydd e'n dy ffono di fory . . . Dere mas gyda ni am ddrinc yn lle 'ny.'

'Sdim pwynt strywo dy ben-blwydd, dere,' ategodd Helen yn ffug joli.

Gafaelodd Mari yn ei ffôn. 'Na, dyw'r salwch ddim

yn esgus. Mae e'n fastard hunanol – o'dd e'n gwybod mod i'n edrych mlaen at heno. *Twat*!' A gadawodd neges arall ar ei ffôn oedd yn mynegi dyfnder ei dicter i'r dim, a phoerodd ei thymer i'w beiriant ateb.

'Reit, pasia'r botel *cava* 'na i fi! Ni'n dathlu!' gorchmynnodd Mari.

Estynnodd Mari y botel iddi heb ddweud gair.

Y noson ganlynol, curodd Mari ar ddrws fflat Rob. Roedd ei thymer yn dal i ferwi – doedd hi ddim wedi clywed gair oddi wrtho, ond gwyddai nad oedd yn y gwaith. Roedd hi wedi galw yno ynghynt i roi pryd o dafod iddo a doedd dim sôn amdano. Trodd ar ei sawdl ar ôl aros wrth ddrws y fflat am ychydig a dechreuodd gerdded i lawr y grisiau. Clywodd y drws yn agor a safai Rob yno gyda chysgodion mawr tywyll o dan ei lygaid. Doedd e heb eillio nac ymolchi, wrth ei olwg e, ac edrychai'n uffernol.

''Co ti!' Trodd Mari a rhuthro i mewn i'r fflat. 'O'n i'n meddwl bo ti wedi marw neu rywbeth! Lle o't ti neithiwr 'te?'

'Gwranda, Mari, ma'n ddrwg 'da fi, ond dwi 'di bod yn teimlo'n ofnadw. O'n i jyst yn ffaelu godde mynd mas i unrhyw le. Dwi'n sori . . .'

'Pam se ti wedi ffonio fi? Gallen i wedi dod draw i dy weld di yn lle 'ny! Smo'r salwch 'ma'n rhoi *carte blanche* i ti fihafio fel *twat* hunanol, ti'n gw'bod! A finne wedi bod mor dda yn rhoi lan gyda dy *shit* di am fisoedd nawr!'

Teimlai Mari ychydig yn well ar ôl bwrw'i bol fel hyn ac arhosodd am ei ymateb. Edrychodd Rob arni am amser hir heb ymateb, heb symud blewyn. O'r diwedd, dywedodd yn dawel, 'Os mai fel 'na wyt ti wir yn teimlo, wel, dwi ddim isie bod yn faich i ti . . .'

'O, so 'na fe, ife? Ti'n mynd i roi lan achos mod i 'di rhoi *bollocking* i ti, wyt ti? Cyfleus iawn!' Eisteddodd ar ei wely a gwgu arno. Doedd hi ddim yn mynd i unman! Yr hen Rob oedd hi eisiau, y Rob cariadus a rhamantus, nid y Rob rhyfedd, estron yma a syllai arni â llygaid pellennig dieithryn.

Eisteddodd Rob wrth ei hochr ar y gwely. 'Gwranda, Mari. Ti'n meddwl bo fi'n licio teimlo fel hyn? Teimlo fel se popeth yn gwasgu amdana i? O'n i ffaelu gwneud dim neithiwr, ti'n deall? Ffaelu gweithredu mewn unrhyw ffordd. Ffaelu codi'r ffôn, ffaelu dianc o'r carchar 'ma o ystafell. Ti jyst ddim yn deall.'

'Na, dw i ddim yn deall!' Anadlodd hi'n hir a dwfn, gan oedi rhag ofn iddi ddweud unrhyw beth ffôl, a'r tro hwn roedd ei llais yn dawelach. 'Dwi'n gwneud fy ngorau i ddeall, ond shwt alla i os nad wyt ti'n gadael i fi dy helpu di? Ewn ni 'nôl at y doctor, a geith e newid dy dabledi di . . . Mae'n rhaid fod *rhywbeth* gallwn ni wneud.' Llifai ei dagrau, wrth iddi ddechrau amgyffred difrifoldeb y sefyllfa.

'Sdim modd newid dim. Rhaid i fi aros nes i mi deimlo'n well, dyna i gyd. Dyma fel ma pethe. Ma'n wir ddrwg 'da fi.'

Edrychodd Mari i'w wyneb am amser hir, a phwyso a mesur beth ddylai ei ddweud nesaf. Oedd, roedd hi'n ei garu e, yn ei garu e'n fawr. Allai hi ddim gorffen gyda fe; byddai'n rhaid iddi ei helpu fe drwyddi, dyna i gyd.

Fe wellodd pethau ychydig ar ôl eu cweryl mawr, a Mari'n gwneud ei gorau i fod yn amyneddgar gydag e pan fyddai'n torri'u trefniadau'n ddirybudd neu'n ymddwyn yn oeraidd tuag ati. Ond roedd y straen yn mynd yn drech na hi, yn enwedig pan alwodd heibio i'w fflat ar siawns un noson a'i weld yn gorwedd yn ddiymadferth yn y gwely wedi cymryd gor-ddos o dabledi a whisgi. Roedd e'n lwcus y tro hwnnw, dywedodd y Doctor wrthi'n ddiflewyn-ar-dafod ar ôl pwmpio'r cyffuriau o'i stumog, ond pwysleisiodd y dylai Rob weld ei seicolegydd yn rheolaidd unwaith eto.

Eisteddodd ar erchwyn ei wely yn yr ysbyty yn ei wylio'n cysgu'n drwm, gan deimlo llif o gariad tuag ato'n ffrydio trwyddi. Cofiodd y tro cyntaf iddi ei wylio'n cysgu fel duw Groegaidd. Gwyddai na allai ei adael fel hyn; roedd ei dyfodol hi wedi'i blethu â'i ddyfodol yntau ac roedd yn rhaid iddi fod yn ddigon cryf i'r ddau ohonyn nhw. Cyffyrddodd ei dalcen yn ysgafn – roedd e'n edrych mor heddychlon yn ei gwsg. Gobeithiai y byddai'n cytuno i fynd yn ôl at y seicolegydd. Help oedd eisiau arno fe, ac mewn amser byddai popeth yn siŵr o fod yn iawn, cysurodd Mari ei hun. Wedi'r cwbl, roedd miliynau o bobl yn byw bywydau normal er eu bod yn dioddef o'r salwch brawychus yma.

Rhuthrodd Sara a Helen i mewn i'r ward fel dau gorwynt. 'Mari, ti'n iawn? Shwt mae Rob?' Roedd llygaid Sara'n fawr fel soseri.

'Mae e'n iawn,' sibrydodd Mari rhag ei ddeffro. 'Wnaethon nhw bwmpio'i stumog e ac mae'n cysgu nawr.'

'Pam wnaeth e shwt beth?' holodd Helen, yn syllu ar gorff llonydd Rob â chyfuniad o ddicter ac anghrediniaeth.

'Mae'n dost, Helen. Nid ei fai e yw e.'

'Wy'n deall 'ny, Mari.' Roedd llais Helen yn fwy caredig. 'Ble mae ei fam a'i dad e?'

'O'dd e ddim isie eu poeni nhw . . .'

'Mae'n ormod i ti ddelio gyda hyn ar dy ben dy hunan. Nid ei fam e wyt ti,' dywedodd Sara gan afael yn daer yn ei llaw.

'Dim ond fi sydd gyda fe, a fydden i'n bitsh yn gorffen 'da fe achos bod e'n dost. Wy'n ei garu fe, Sara,' dywedodd Mari gyda'r boen yn amlwg yn ei llygaid.

'Dwi'n gw'bod. Ond mae'n rhaid i ti roi dy iechyd di dy hun yn gynta. 'Co, rwyt ti'n nerfau i gyd. Wy ddim yn cofio'r tro diwetha weles i ti'n chwerthin. Galli di mo'i achub e. Rhaid i ti ofalu am dy hunan. Nid ti yw ei fam e na'i seicolegydd e. Dim ond Rob all gael ei hunan mas o'r sefyllfa 'ma. Y peth mwya pwysig yw nad yw e'n dy wneud di'n hapus rhagor . . . Paid â gwadu! A byddi di'n mynd yn dost hefyd os na watshi di.'

'Sara, y'n ni wedi siarad am hyn yn barod, a ti'n gw'bod na allai i adael Rob. Help sy isie arno fe, a bydd e'n iawn.'

'Bydd e? Beth os neith e lwyddo'r tro nesa? Beth wnei di wedyn?'

'Byddwch yn dawel, newch chi!' Ceisiodd Mari gadw'i llais yn isel. 'Dy'ch chi ddim yn deall! Wy'n ei garu fe, a dwi ddim yn mynd i gerdded mas o'r berthynas jyst achos ei fod e'n dost!'

'Fydde neb yn dy feirniadu di . . .'

'Well i chi fynd.' Trodd Mari ei chefn ar ei dwy ffrind a gafael yn llaw Rob.

Rhannodd Sara a Helen edrychiad o anobaith cyn cerdded yn anfodlon allan o'r ward.

Wyddai Mari ddim beth i'w ddweud wrth Rob ar ôl y digwyddiad. Doedd e ddim eisiau siarad am y peth, ac roedd ei lygaid yn fflachio digofaint pan geisiai Mari siarad yn rhesymol gyda fe a'i berswadio'n daer i weld y seicolegydd. Rhywsut, ar ôl y digwyddiad y noson honno, codwyd mur rhyngddo ef a hithau a doedd dim modd ei ddymchwel. Amheuai Mari'n fawr a ddeuai'r hen Rob fyth yn ôl ati.

Fis yn ddiweddarach, doedd pethe heb wella dim a phoenai Mari bob tro yr âi heibio i'w weld y byddai'n dod o hyd i Rob yn ddiymadferth, neu'n waeth. Penderfynodd ddweud y cyfan wrth Sara dros botel neu dair o win coch un noson, ar ôl treulio'r diwrnod yn twtio fflat Rob iddo mewn ymdrech i godi ei hwyliau ychydig a gwella ar y *feng shui* bondigrybwyll oedd yn ei gartref tywyll a blêr.

'Rhaid i ti feddwl am dy hunan, Mari. Mae ei salwch e'n dy hala di'n dost hefyd!' Dyna oedd cyngor Sara.

Ond roedd Mari'n benderfynol o wneud i'r berthynas hon weithio. Doedd hi erioed wedi teimlo cymaint o gariad at ddyn ag a deimlai tuag at Rob. Gyda'i gilydd, fe fydden nhw'n dod drwyddi. Doedd Sara na Helen ddim eto wedi profi'r fath gariad dwfn a doedd dim modd iddyn nhw ddeall.

Yn ôl yn y presennol . . .

Rhewodd! Roedd hi wedi bwrw rhywun i lawr! *Oh my God*! Fflachiodd darluniau hyll ar wib o flaen ei llygaid, byddai'n bitsh i ryw Hairy Mary yn Prisoner Cell Block H cyn troi rownd a bai blydi Rob oedd y cwbwl! Nawr roedd ei bywyd hi ar chwâl yn gyfan gwbl.

Dringodd yn grynedig allan o'r car a gweld y boi druan yn gorwedd ac yn griddfan wrth ochr yr heol. Diolch byth ei fod e'n fyw, meddyliodd Mari wrth blygu drosto'n ofnus ac edrych i'w wyneb. Y blydi boi 'na o Rownd y Rîl oedd e! Roedd yn dod ar ei thraws bob rhyw gwpwl o flynyddoedd fel blydi cwcw! Be ffyc oedd ei enw fe?

'Mari?'

'Ie, *oh my God,* Owen. Dwi mor sori. Ti 'di torri rhywbeth? Ti isie fi ffonio am ambiwlans?'

'Na, fi'n credu mod i'n iawn, jyst wedi cael sioc 'na i gyd.'

Cododd Owen yn boenus, gan edrych ar ei feic oedd wedi dioddef y gwaethaf o'r ergyd. Roedd e bellach yn un manglad o fetel hyll.

'Mae'n wir ddrwg gen i, Owen,' dywedodd Mari gan ddiolch i Dduw ei fod e'n edrych yn iawn. 'O'n i'n ypset a weles i mohonot ti. Wna i dalu am feic newydd i ti. Smo ti'n mynd i fynd â fi i'r llys, wyt ti? Ma 'da fi naw pwynt ar y'n leisens i'n barod!'

'Na, sa i'n credu . . . ond dwi'n meddwl y dylet ti fynd â fi am ddrinc i ddod dros y sioc!' Gwenodd Owen wên boenus arni.

Diolch byth ei fod e'n foi rhesymol, meddyliodd Mari'n ddiolchgar, a chydio yn ei fraich i'w dywys i'r pỳb agosaf.

Owen: Miss Mam
2000

Roedd y ffordd y cyfarfu Owen a Rhian yn anghyffredin, a dweud y lleiaf. Diwedd y dydd oedd hi, ac Owen yn siopa'n y Tesco Metro bychan yn y Rhath yn ôl ei arfer, yn ceisio dewis rhwng *pizza* neu goginio rhywbeth tomato-aidd gyda phasta i swper, pan sylwodd arni'n sefyll gerllaw. Merch yn ei hugeiniau hwyr, prydferth ond heb fod yn *showy*. Roedd hi'n dal, yn denau, gyda gwallt browngoch yn cyrlio'n atyniadol o gwmpas ei hwyneb. Gwthiai droli, ac yn eistedd yn honno roedd 'na *mini me* bychan, bachgennaidd ohoni hi – crwt bach tua tair oed, yn un mop o gyrls browngoch ar ei ben a golwg ddireidus yn ei lygaid.

Gwenodd Owen yn dadol ar y bachgen bach – syllodd hwnnw'n ôl arno gan wgu'n flin. Plant! Cadwa draw, Owen bach. Mae'n amlwg fod y paraseit bach yn dioddef o ADHD neu rywbeth tebyg meddyliodd Owen yn ddirmygus wrth weld y bychan yn taflu creision ar hyd y llawr.

Reit, roedd e'n mynd i goginio pryd go iawn iddo fe a Huw heno – byddai'r ddeiet o kebabs, McDonalds a Subway yn sicr yn arwain at *ulcer* neu gancr y bowel os na fyddent yn bwyta rhywbeth teidi o bryd i'w gilydd. Penderfynodd ar *spaghetti bolognaise* – hawdd, a dim ond angen dwy sosban. *Sorted*. Ond wrth iddo estyn am y botel wydr o *passata*, gwnaeth y fam brydferth yr union run peth ag e, ac wrth i'r ddau geisio cydio yn yr un botel, plymiodd honno allan o'u gafael a chwalu'n stecs swnllyd ar y llawr. Roedd yr olygfa'n y

Tescos bychan fel rhywbeth allan o *Apocalypse Now*, a saws tomato ymhobman – dros ei treiners, ei jîns, a'i wallt hyd yn oed!

'O, mae'n ddrwg gen i!' ebychodd y fam brydferth gan dynnu pecyn o Wet Wipes allan o'i bag a'i estyn iddo.

'Peidiwch â phoeni,' dywedodd Owen yn fonheddig, wedi'i hudo gan ei llygaid disglair a'r brychni mân ar ei thrwyn smwt. 'Fy mai i yw e, dylwn i ddim fod wedi penderfynu ar *spag bol* i swper heno . . . Os dwi'n coginio, ma trychineb wastad yn digwydd!'

Chwarddodd y ddau ar y sylw. Byddai Huw yn *impressed* iawn gyda fe; roedd ei *repartee* yn well na Clooney ar ei orau, wir!

Ond daeth cyflafan arall i'w ran wrth i'r bachgen bach, neu fab y diafol, gydio mewn potel arall o *passata* heb yn wybod i'w fam a'i daflu'n syth at draed Owen. Digwyddodd y peth fel petai mewn *slo-mo* – gwaeddodd y fam brydferth ac yntau gyda'i gilydd yn araf: 'NNNNNNNNAAAAA!' Ond rhy hwyr, roedd y bom tomatos wedi ffrwydro, a'i dreinyrs costus Nike a'i jîns Diesel – a oedd eisoes wedi diodde'n enbyd o'r ergyd gyntaf – wedi talu'r pris yn llawn gyda'u bywydau synthetig.

'Alffi!' dwrdiodd y fam brydferth. 'Be wnest ti?'

Syllodd y plentyn arni am eiliad gan edrych yn ofanus ar Owen cyn dechrau crio. Y bastard bach! roedd e'n gwybod yn iawn beth oedd e'n ei wneud – roedd ei weithred yn un gwbl fwriadol, damo fe! Daeth un o weithwyr Tesco draw atynt yn cario mop fel merthyr.

'Ma'n wir ddrwg gen i.' Plygodd y fam brydferth lawr a cheisio casglu'r darnau o wydr mân.

'Watshwch eich dwylo,' sniffiodd y boi Tesco'n swta a dechrau glanhau o'u cwmpas.

Rhannodd Owen a'r fam brydferth edrychiad o *Beth yw ei broblem e?* cyn iddi ddweud yn dawel, 'Gwrandwch, ma'ch jîns a'ch treinyrs chi wedi'i strywa. Rhowch eich manylion i fi, a ddanfona i siec i chi am y gost.'

Edrychodd Owen ar ei llaw chwith a sylwi nad oedd modrwy arni. 'Sdim rhaid i chi dalu amdanyn nhw, ma damweiniau'n digwydd. Ond byddai'n syniad da i fi gael eich manylion chi, er mwyn i fi gael gw'bod am y tro nesa y byddwch chi ac Alffi'n mynd i Tesco, i fi gael gwisgo'n *overalls*.'

Na, doedd y jôc yna ddim cystal, ond fe chwarddodd hi'n harti cyn gosod cerdyn busnes yn ei law. Darllenodd Owen yn frysiog – *Rhian Mai, Cydlynydd P.R. Cwmni Eco.*

Cwmni Eco? Roedd yr enw'n canu cloch – yr asiantaeth amgylchedd newydd yn y brifddinas. Gwenodd arni eto a dweud, 'Wel, fi yw Owen. O'dd hi'n . . . neis cwrdd â chi'ch dau; wna i roi galwad cyn bo hir.'

Gwenodd hithau arno a theimlodd Owen gynnwrf a nerth yr atyniad rhyngddynt yn syth. Cerddodd tua thre a'i gorff yn graffiti tomatoaidd drosto. Falle'i bod hi'n werth colli pâr o dreinyrs a jîns costus os mai Rhian fyddai'r wobr gysur.

Dridiau'n ddiweddarach, fe wnaeth e'r 'alwad'. Ar ôl trafod yn helaeth gyda Huw, penderfynodd y ddau mai tridiau oedd yr amser perffaith – dim rhy déspret ond dim rhy ddifater chwaith. Fel dywedodd Huw, 'Mae'r pethau yma'n ddélicet iawn Owen. Yr alwad gyntaf, ti'n gorffod pwyso a mesur yr holl ffactorau'n ofalus, t'wel'.'

'Ffactorau?' Stopiodd Owen frasgamu'n ôl a blaen yn eu hystafell fyw gyda'i ffôn symudol yn ei law, yn ceisio magu'r dewrder a'r *chutzpah* i wneud yr 'alwad'.

'Ie, amser yr "alwad" – dim rhy gynnar yn y dydd rhag iddi feddwl bod ti'n rhyw *freak* sy'n codi ben bore, dim cyn cinio achos ma pawb yn flin bryd 'ny am eu bod nhw isie bwyd, a dim rhy hwyr yn y nos chwaith rhag iddi feddwl bod ti'n *stalker*! *God* Owen, ti'n gw'bod dim.'

'A ti wastad yn meddwl gormod am y pethe 'ma! Wy'n mynd i'w ffonio hi nawr, ocê!'

Syllodd Huw ar ei wats fel gwyddonydd yn edrych ar sbesimen o dan feicroscop. 'Hmm . . . tri o'r gloch. Gallai fod yn well, gallai fod yn waeth, sbo.'

Ond roedd dwylo crynedig Owen eisoes wedi ffonio'r rhif ar y cerdyn. Gobeithiai na fyddai'n ateb, ac yna gallai adael neges cŵl a *laid back* ar ei pheiriant ateb. Ond na, ar ôl tri chaniad, atebwyd y ffôn.

'Helô, Rhian Mai,' canodd y llais swynol yn ei glust.

Cerddodd Owen allan o'r lolfa ac i mewn i'w ystafell wely gan gau'r drws rhag i Huw glustfeinio ar y sgwrs a rhoi *critique* manwl a didostur o'i ffaeleddau, fel petai e'n feirniad ar *Pop Idol*.

'O . . . haia Rhian . . . Owen sy 'ma. Y boi wnest ti ac Alffi roi shampŵ tomato iddo fe yn Tesco ddim yn hir 'nôl.'

Ie, da – ysgafn a doniol, ac roedd e'n bownd o ennill *Brownie points* am gofio enw'i mab dieflig. Clywodd dincial crisial ei chwerthiniad hyfryd ar y ffôn.

'O, haia Owen, shwt ma pethe? Ti 'di gwella o dy glwyfau?'

'Wel, dwi'n dal i ddiodde o *post-traumatic stress disorder*, ond dwi'n cael therapi . . .'

Chwarddodd hi eto; yffach, roedd e ar dân gyda'i ffraethineb, yn gwneud i Groucho Marx edrych fel Jim Davidson!

Reit, roedd hi'n bwysig nawr iddo fe fynd mewn am y *kill* cyn iddi ddiflasu. Dyma'i gyfle, ei unig gyfle, i'w bachu . . .

'O'n i'n meddwl, Rhian, os nad wyt ti'n brysur . . . hoffet ti fynd allan am ddrinc 'da fi nos Wener? Jyst i ni gael mynd dros fanylion yr achos llys dwi'n bwriadu'i ddwyn yn dy erbyn di am y gyflafan gyda'r *passata* . . . '

'Wel, dwi'n meddwl mod i'n rhydd i fynychu'r fath gyfarfod pwysig . . . '

'Grêt! Beth am Bar Ha!Ha! yn y dre am wyth?'

'Drycha i mlaen.'

Gorffennodd Owen yr alwad ac anadlu'n rhydd eto, yna aeth yn ôl i'r lolfa ag osgo buddugwr Olympaidd yn ei gerddediad.

'Mae'n edrych fel tase rhywun â *hot date* 'da *MILF* i edrych mlaen ati, 'te.' Edrychai Huw fel lord wrth chwarae Xbox yn ei bants ar y soffa.

'Drinc bach i ddechre, nos Wener.'

'Call iawn, boio. Os eith pethe'n dda, a hithe ddim yn *boring*, galli di fynd â hi am bryd o fwyd ar ôl y diodydd. Ac wedyn, ti byth yn gw'bod, 'bach o we-hei . . .'

'Sa i'n meddwl y bydd hi'n *boring*,' torrodd Owen ar ei draws. Gafaelodd yn y *joystick* ac ymuno gyda Huw yn ei dreialon anturus gyda Lara Croft.

'Ti byth yn gw'bod, Owen . . . A beth am Damien?' holodd Huw a gadael i Lara drywanu milwr Owen yn dreisgar â chleddyf anferthol.

'Pwy?'

'Damien, mab y Diafol – y plentyn 'na sy 'da hi.'

'Wel, fydd e ddim yn dod mas nos Wener, na fydd? Na, mae e'n iawn, jyst bach yn ddrygionus, 'na i gyd. Dwi'n siŵr y daw e i lico Wncwl Owen unwaith bydda i 'di rhoi lot o losin llawn *E's* iddo fe . . .'

'Alli di ddim ennill cariad trwy freibo'r plentyn, ti'n gw'bod. Ma plant yn gallu sboto *fake* o bell.' Nodiodd Huw, yr athro, ei ben yn gall fel petai yntau'n ryw bibydd brith profiadol oedd wedi bod trwy'r profiad ganwaith ei hun.

'Fe wna i ddelio 'da hynny os datblygith pethe.'

Roedd llais Owen yn fwy hyderus na'i deimladau mewnol o beth wmbredd. Bellach, roedd e yn y *big league* – menyw oedd yn fam i blentyn bach, nid un o'r merched ifanc penchwiban y bu'n hanner ymhel â nhw yn ystod y blynyddoedd diwethaf, yn dilyn ei brofiad anffodus gyda Magi Prydderch. Ac roedd Owen yn bendant bod Rhian yn wahanol. Roedd ganddi gyfrifoldebau, plentyn o gig a gwaed. Y cwestiwn mawr oedd, a fyddai e'n ddigon o ddyn iddi hi?

Fis yn ddiweddarach, teimlai Owen yn argyhoeddedig mai Rhian oedd y fenyw berffaith iddo fe. Roedd hi'n glyfar, yn ddoniol, yn aeddfed ac yn hynod rywiol. Yr unig gleren yn y cawl oedd ei mab dieflig, Alffi. Er mai dim ond teirblwydd oedd Alffi, roedd y sinach bach yn gwybod yn iawn sut i wneud bywyd Owen yn anodd. Taflodd ffa pob at ei grys Paul Smith newydd, gyrru ei gar bach pedlo Nodi dros ei draed pan oedd e'n gwisgo dim ond sanau, ac ar un achlysur, chwydu dros sedd gefn ei gar newydd, ar bwrpas. Teimlai Owen ei fod yn haeddu Oscar am ei ymdriniaeth ddidaro o'r catalog yma o gamweddau.

'O Alffi,' byddai Rhian yn ei ddweud yn siomedig gariadus wrth y bychan, a byddai hwnnw'n crechwenu'n slei ar Owen gan wybod na allai ddangos ei ddicter tuag ato o flaen ei fam. Ond roedd Owen yn barod i oddef y bychan er mwyn ei berthynas e a Rhian.

Doedd Owen ddim wedi holi rhyw lawer am *ex* Rhian; roedd yn well ganddo ddychmygu nad oedd e'n bodoli a bod Rhian wedi beichiogi fel y Forwyn Fair – drwy ryw ryfedd wyrth, nid drwy ryw rhyfedd. Ac roedd yn amlwg nad oedd Rhian yn awyddus i sôn amdano chwaith. Synhwyrodd Owen nad oedd diweddu'r berthynas wedi bod yn hawdd iddi, a heblaw am sôn bod Alffi'n aros gyda'i dad, Jim, ar benwythnosau, prin ei bod hi'n ei grybwyll o gwbl.

Roedd Owen yn dwlu ar y penwythnosau gan fod Alffi'n absennol a châi Rhian yn gyfan gwbl iddi'i hun. Un nos Sadwrn, wedi mwynhau noson yn y sinema cyn dychwelyd i fflat Owen am chydig o hwyl allgyrsiol, teimlai Owen ei fod ef a Rhian wedi cyrraedd rhywle arbennig o ran eu perthynas – rhywle a allai bara am weddill eu hoes, o bosibl.

Ddiwedd y nos roedd Huw allan o'r ffordd yn ddiogel yn yr ystafell fyw'n gwylio DVDs *Bottom* ar lŵp, a dyna lle roedd Owen a'r ferch ddelaf yn y byd yn gorwedd yn noeth yn ei freichiau. Yng nghornel ei ystafell wely, eisteddai'r ail ferch ddelaf yn y byd – ei gitâr newydd, y Fender Stratocaster mewn 'Sunburst

Brown'. Ie, y Strat lledrithiol y bu Owen yn breuddwydio amdani am flynyddoedd. Doedd e ddim wedi chwarae mewn band ers oesoedd, ond doedd ei angerdd at y gitâr heb bylu o gwbl. Bu'n cynilo'i arian am fisoedd, yna archebu ar-lein o America ac aros am chwech wythnos ddiamynedd iddi gyrraedd. Pan ddaliai'r Strat yn ei ddwylo, roedd popeth yn teimlo'n iawn, a'r byd yn ei le.

'Owen?' meddai Rhian gan neidio ar ei ben yn ddireidus.

'Mmm?' Roedd Owen yn dal i lygadu'r gitâr newydd yn gariadus, a sylwodd Rhian ar yr olwg yn ei lygad.

'Gei di chwarae gyda dy degan newydd wedyn . . . Fi sy fod i gael dy sylw di nawr!'

'Sori!' chwarddodd Owen a'i thynnu tuag ato i'w chusanu.

Roedd e wrthi'n mynd trwy'i *repertoire* arferol o *moves* rhywiol pan glywodd gnocio byddarol, argyfyngus ar y drws ffrynt. Parhaodd i garu gyda Rhian, wedi'r cwbl, gallai Huw ateb y drws . . .

Ar ôl rhai munudau, ac yntau ar fin dod, clywodd leisiau'n gweiddi yn yr ystafell fyw a thraed trwm yn rhedeg i fyny'r grisiau. Rhewodd ei gorff yn ansicr.

'Be sy?' mwmiodd Rhian yn llawn teimlad, yn amlwg wedi ymgolli yn y foment.

'Ddim yn siŵr . . .' sibrydodd Owen. 'Lladron?'

'Paid â bod yn ddwl . . . Rhyw ffrindie swnllyd i Huw, siŵr o fod. Paid stopio, dwi'n rili agos.'

'Your wish is my command, madam!' mwmiodd Owen yn felfedaidd, gan godi'i ael fel George Clooney ar ei fwyaf *suave*.

Ond wrth blymio'n fuddugoliaethus i gorff Rhian, tasgodd drws ystafell wely Owen yn llydan ar led.

Blydi Huw, be oedd e eisiau nawr? Yna sylwodd ar yr olwg ar wyneb Rhian, cyfuniad o ddicter ac ofn. Oedd Huw yn paredan yn ei bants ffiaidd eto? Roedd e wedi ei rybuddio rhag gwisgo'i rai Homer Simpson pan oedd Rhian yn aros y nos – roedden nhw'n ddigon i ypseto unrhyw un.

Trodd i wynebu'r drws. Gwelodd ddieithryn cyhyrog yn sefyll yno'n gwgu arnynt. Roedd e 'run ffunud â brawd mawr hyll Vinnie Jones, ond yn foelach a thipyn caletach. Tynnodd ei hun yn anniben a sigledig o freichiau Rhian a gofyn, 'Pwy y'ch chi, a be ffyc y'ch chi'n wneud yn fy stafell wely i?'

Ar hyn, camodd Huw i mewn i'r ystafell o'r tu ôl i frawd hŷn Vinnie Jones, a dau ddyn canol oed yn ei ddilyn yn lletchwith. Pesychodd Huw yn ddélicet, ac edrych lan ar y dyn mawr â pharchus ofnus yn ei lygaid. 'Owen, sori, bostodd e mewn gyda'r ddou *private dick* 'ma . . .'

Erbyn hyn roedd Rhian wedi tynnu'r cynfasau o'i hamgylch ac yn gweiddi fel *banshee* ar y dyn mawr moel. 'Be ffyc ti'n neud fan hyn, Jim?'

Jim? O *shit*, Jim oedd enw ei *ex* hi.

'Be ffyc wyt TI'n neud fan hyn, *more to the point*?' arthiodd Jim yn ôl arni. 'Dim ond chwe mis sy ers i ni wahanu a 'co ti, yn hwrio o gwmpas gyda'r *twat* yma!'

'Oi!' atebodd Owen yn ddig, yna caeodd ei geg yn syth, ceisiodd ganfod hedyn o ddewrder o rywle. Methodd. Pesychodd. 'Dwi ddim yn dwat, ocê? A dylet ti fynd cyn i fi alw'r heddlu!'

'Yym . . . Paned o de, bois?' holodd Huw yn joli i'r ddau dditectif wrth i'r tri ohonynt gamu 'nôl yn drwsgl o'r ystafell wely ac allan o ganol yr helbul.

Daliai Jim i sefyll yn y drws. Anwybyddodd Rhian y ddrama fach gyda'r dynion, a throi ar Jim yn ddig.

'Ie, Jim. Dyna'r holl bwynt. Ry'n ni wedi cwpla. Ti'n cael gweld cymaint o Alffi ag wyt ti isie, ond galli di ddim 'y ngweld i.'

'Ti ddim yn becso taten am Alffi. Ma'r boi yma'n mynd â dy sylw di i gyd oddi wrth Alffi; mae e wedi dweud popeth wrtho i.'

'Mae e'n dair blwydd oed, Jim. Shwt alle fe ddweud unrhyw beth wrthot ti? Plentyn bach yw e. Ti'n blydi *psycho*, ti'n gwybod 'ny? Pwy heiro *private detectives*, y *mentalist*? Gad fi i fod!'

'O'dd rhaid i fi gael gwybod beth o't ti'n neud, rhag ofan bod ti'n gneud cam ag Alffi.'

'Nagodd ddim. Ti'n gw'bod yn iawn mai Alffi yw'n holl fyd i, a fydde fe byth yn cael cam! Wel, nawr ti'n gw'bod be dwi 'di bod yn neud, a sdim isie trafod rhagor. Felly, cer mas!'

'Ie, well i ti fynd, mêt,' dywedodd Owen yn dawel.

'Ca' di dy ffycin geg!' gwaeddodd Jim, ei dymer nawr ar lefel uchaf y raddfa Richter. Camodd i gyfeiriad gwely ac wyneb Owen, gyda'i ddwrn yn barod i'w daro reit drwy'r wal.

'Na! Jim! Paid!' sgrechiodd Rhian.

Rhewodd Jim am eiliad fel cymeriad cartŵn, ei ddwrn yn hongian fel cleddyf Damocles yn yr awyr. Syllodd yn wyllt o gwmpas yr ystafell a syrthiodd ei lygaid ar y gitâr Stratocaster newydd. Sylwodd Owen ar hyn yn syth, gwelwodd, a dechreuodd weddïo'n ffyrnig dan ei anadl, 'Dim y Stratocaster. Dim y Stratocaster. Plîs Dduw. Dim y Stratocaster'.

'Jim!' siaradodd Owen ag ef fel dofwr llewod yn ceisio tawelu llew rheibus mewn syrcas. 'Rho smacen i fi os neith e i ti deimlo'n well . . . ond paid ag anafu'r gitâr . . . mae e'n Stratocaster . . . newydd . . . sbon . . .'

Syrthiodd y tri gair olaf o'i wefusau, ond roedd hi eisoes yn rhy hwyr. Cododd Jim y gitâr uwch ei ben fel reslar gwallgof, a'i dal yno am eiliad anhygoel o hir cyn ei tharo'n ddidrugaredd, dro ar ôl tro ar ôl tro yn erbyn y wal.

Gyda chri o boen, claddodd Owen ei ben yn y gobennydd, ni allai wylio mwy. Cododd Rhian o'r gwely wedi'i lapio yn y cynfasau. Cerddodd at Jim, rhoi llaw ymataliol ar ei fraich a dweud yn dawel, 'Jim, well i ti fynd, bydd fflat-mêt Owen yn ffonio'r heddlu unrhyw funud . . .'

Syllodd Jim arni â llygaid dyn wedi'i orchfygu. Yn araf, gollyngodd weddillion truenus y Stratocaster ar y llawr o'i flaen cyn cerdded allan o'r ystafell heb ddweud gair.

Eisteddodd Rhian ar y gwely wrth ochr Owen gydag ochenaid. 'Owen . . . Owen?'

'Mae e wedi malu'r Stratocaster . . . yn rhacs.' Caeodd ei lygaid rhag gorfod edrych ar weddillion truenus offeryn disglair ei freuddwydion.

'Mae'n wir ddrwg 'da fi, Owen.' Daliodd Rhian ben Owen yn ei breichiau a mwytho'i ben yn gariadus. 'Fe dala i am gitâr newydd i ti.'

'Fydd hi ddim 'run peth . . .' Roedd calon Owen yn rhacs.

'Gwranda, ma Jim yn hen foi iawn yn y bôn ac yn dad grêt i Alffi. Dyw e jyst heb ddod i delerau 'da'r ffaith ein bod ni wedi gorffen, dyna i gyd.'

'Ti'n meddwl?' Roedd llais Owen fel weiren bigog.

'Wy'n meddwl ei fod e'n deall nawr, amdanon ni,'

meddai Rhian mewn llais cysurlon. 'A dwi'n siŵr na ddaw e yma 'to . . .'

'Sdim byd ar ôl o werth iddo fe dorri nawr, ta beth,' griddfanodd Owen yn isel.

'Gwranda, Owen, nid y Strat yw'r *issue*, ife?' Roedd Rhian wedi dechrau cael digon o'r dramatics am y gitâr. 'Wy wedi gweud, fe bryna i un newydd i ti.'

Cododd Owen o'r gwely a gwisgo amdano'n araf, araf. 'Ti'n iawn, Rhian. Nid y gitâr sy'n *issue* ond bod gyda ti *psycho ex* sy dal i fod yn dy fywyd di, sy'n byrstio i mewn i dai pobol gyda ditectifs preifat, yn sbïo arnyn nhw ac yn gwylio tra'u bod nhw . . . wrthi! Dyna'r *issue*! Ac i fod yn onest 'da ti, wy'n meddwl bod dy fywyd di'n lot rhy gymhleth i rywun fel fi. Wy'n foi syml sy'n hoffi gitârs, yfed San Miguel, chwarae Xbox. Sa i'n credu bo' fi isie bod yn rhan o dy opera sebon di a Jim!'

'Ti'n mynd i roi'r ffidil yn y to, jyst fel 'na? O'n i'n meddwl bod siawns gyda ni i fod yn hapus, a ti'n mynd i roi'r cwbl lan o achos un digwyddiad bach?' Cododd Rhian a dechrau gwisgo hefyd.

'Wy'n rili licio ti, Rhian,' simsanodd Owen, ei galon yn dechrau toddi wrth ei gweld yn edrych mor rhywiol yn ei bra a'i nicers lês gwyn. 'Ond dyw cael *ex* boncyrs yn torri i mewn i'r tŷ gyda ditectifs preifat a chwalu fy ngitâr i ddim yn "ddigwyddiad bach" yn fy marn i.'

'Dwi'n rili hoffi ti hefyd, Owen. Ma Jim yn deall y sefyllfa nawr, a chawn ni ddim mwy o drwbwl 'wrtho fe, wy'n gw'bod. Mewn amser, fe ddaw e i ddeall ei fod e'n dal yn rhan o fywyd Alffi ond nad yw e'n rhan o'n bywydau ni.'

Teimlodd Owen iâ ofn iasol yn ei galon pan ynganodd y geiriau 'bywydau ni'. Yffach, doedd e ond wedi bod yn gweld y fenyw am tua mis, ac roedd hi eisoes yn siarad amdanyn nhw fel uned, fel 'ni'. Deufis arall, a byddai e'n cerdded o gwmpas Ikea yn dewis rhwng gorchudd dwfe Nodi a Snoopy i'r bychan, fel *zombie* heb ddigon o nerth i fedru dianc o'i garchar emosiynol. Na, roedd e'n rhy ifanc i hyn i gyd. Yn rhy anaeddfed i ddelio gydag *ex* brawychus a phlentyn y diafol. Trodd at Rhian a dechrau'n araf, 'Drycha. Wy'n meddwl byddai'n well i ni stopio gweld ein gilydd. Mae'r sefyllfa jyst yn rhy gymhleth.'

'Nid Jim sy 'di achosi hyn ife? Achos bod plentyn 'da fi, dyna'r gwir reswm ontefe?' Gollyngodd Rhian ei law fel pe bai e'n dioddef o ryw glefyd ofnadwy.

'Ie a nage. Bydd Jim wastad yn dy fywyd di o achos Alffi, a dwi'n deall 'ny. Ond ma Alffi'n fy nghasáu i a dwi ddim yn meddwl mod i'n ddigon aeddfed i ti nac iddo fe, go iawn.'

'Ma Alffi'n dwlu arnat ti!'

'Nag yw Rhian, a dwi ddim yn 'i lico fe chwaith.' Dyna Owen wedi dweud y gwir yn blwmp ac yn blaen, a theimlodd ryddhad o fod yn onest am unwaith.

Gwelodd Owen y sioc poenus yn ei llygaid wrth iddi glywed y frawddeg ysgytwol.

'Ond o'n i'n meddwl dy fod ti'n dwlu ar Alffi!'

'Na, wy'n dwlu arnat *ti* . . . Ma Alffi . . . dwi ddim rili'n hoffi plant, ti'n gw'bod . . .'

'Ond mi wyt ti'n godde Alffi o'n achos i,' gorffennodd Rhian y frawddeg iddo. Atebodd Owen mohoni, gan edrych ar y llawr yn hytrach.

'Alla i ddim gweld rhywun sy ddim yn lico'n fab i.' Cydiodd Rhian yn ei bag llaw a chodi i fynd at y drws. Cymerodd gipolwg ar ei gitâr toredig a dweud yn sbeitlyd, 'Fydden i ddim yn poeni rhyw lawer bod honna wedi torri chwaith. Ti 'mhell o fod yn Eric Clapton, yn dwyt ti?'

Slamiodd y drws ac aeth y lle'n hollol dawel. Eisteddodd Owen yn ddiymadferth ar y llawr yn gafael yn gariadus mewn darnau o weddillion ei gitâr. Byddai'n danfon yr anfoneb at Rhian ben bore. Petai hi heb fod mor sarhaus am ei allu cerddorol, byddai wedi gadael y peth, ond doedd *neb* yn cael dweud ei fod e'n gitarydd sâl, a byddai Rhian yn gorfod talu'n hallt am hynny. Dyna'r tro olaf y byddai'n dewis menyw gyda *baggage*. O hyn allan, *footloose and fancy free* fyddai ei arwyddair, dim rhagor o blant, dim rhagor o ddrama a dim rhagor o *exes* seicotig.

'Ti'n iawn, boio?' holodd Huw wrth gerdded yn ofalus i mewn i'w ystafell.

'Dim diolch i ti, y *twat*! Pam ffwc wnest ti 'u gadael nhw i mewn, gwed?'

'Ches i ddim llawer o ddewis! O'n nhw wedi gwthio'u ffordd mewn cyn i fi gael siawns i'w stopio nhw!'

'Ma Rhian a fi wedi gorffen, ac fe racsodd y ffycin *pyscho* o *ex* 'na oedd 'da hi y Strat 'fyd!'

'Cer i'r offi i nôl potel fach o JD i ni gael dod dros y sioc.' Rhoddodd Huw ei fraich yn frawdol am ysgwyddau ei ffrind. 'Fe archeba i *pizza* gyda'r trimins i gyd i ni.'

Wrth iddo seiclo i'r offi, chwaraeodd Owen ddigwyddiadau rhyfedd y noson yn ôl yn ei ben. Beth oedd yn bod arno fe? Roedd ganddo dalent erchyll i ddewis y ferch anghywir. Pam na allai e fod fel Huw, yn dewis merch 'normal' fel Elin oedd heb *exes* na phlant gwallgof i achosi anawsterau?

Wrth droi tuag at Heol Albany, daeth ergyd fel bwled o'r tu ôl iddo, a chyn iddo sylweddoli beth oedd yn digwydd roedd ar ei gefn ar ochr yr heol. Be ffyc? Roedd rhyw dwat wedi'i fwrw â char! *Shit*! Oedd e'n fyw? Oedd. Ond oedd e mewn un darn? Roedd ei ben-glin yn brifo'n enbyd. O leia oedd y car wedi stopio. Nawrte, lle'r oedd y blydi ffŵl oedd wedi'i fwrw?

Agorodd ei lygaid yn araf a gweld wyneb cyfarwydd o'i flaen. Mari, y ferch o'r cyfweliad i Rownd y Rîl, Roedd y byd yn blydi chwerthinllyd o fach!

'*Oh my God,* Owen, dwi mor sori! Ti 'di torri rhywbeth? Ti isie fi ffonio am ambiwlans?'

Gwelodd Owen fod ei hwyneb hi'n welw a dagreuol a'i dwylo'n crynu wrth iddi redeg ei bysedd trwy'i gwallt yn lletchwith. Meddalodd tuag ati'n syth. 'Na, fi'n credu mod i'n iawn, jyst wedi cael sioc, 'na i gyd.'

Cododd Owen yn boenus gan edrych ar ei feic, oedd wedi dod allan ohoni waethaf. Typical! Dim gitâr, a nawr dim blincin beic chwaith! 'Na i gyd oedd angen nawr oedd i ferch arall o'i orffennol ddod rownd y gornel a'i gicio yn ei geilliau er mwyn coroni'r noson gachu yma.

'Mae'n wir ddrwg gen i, Owen. Dala i am feic newydd i ti. Smo ti'n bwriadu mynd â fi i'r llys, wyt ti? Ma 'da fi naw pwynt ar 'yn leisens yn barod.'

Edrychodd Owen arni a rhyfeddu pa mor bert oedd hi, er gwaetha'r ffaith ei bod hi'n amlwg wedi bod yn llefen y glaw. Dyma'i gyfle o'r diwedd.

'Na, ond dwi'n meddwl y dylet ti fynd â fi am ddrinc i ddod dros y sioc!'

Ceisiodd Owen anwybyddu'r llif o waed oedd yn rhedeg o'i ben-glin tuag at ei droed.

Eisteddai'r ddau yn nhafarn y George yn magu eu diodydd. 'Felly pam o't ti'n gyrru fel Frank Spencer i lawr Albany Road, 'te?'

'Stori hir.' Trodd Mari ei llygaid tua'r nenfwd. 'Newydd orffen 'da nghariad . . . wel, fe orffennodd 'da fi . . . o'n i mor ypsét, weles i mohonot ti.'

'Falle nad o'n i'n canolbwyntio'n llawn chwaith. Wnes inne orffen 'da nghariad heno hefyd.'

'Be ddigwyddodd gyda dy gariad di?'

'Nath ei *ex* hi droi lan tra bod ni'n yym . . . wel, ti'n gw'bod . . . o'dd dau dditectif preifat 'da fe.'

'O'r mowredd! O'dd yn *break up* i ddim cweit mor ddramatig â hynny. O'dd fy *ex* i'n *manic depressive*, a 'run o'r ddau ohonon ni'n gallu delio 'da'r sefyllfa mwyach.'

'Ma probleme seicolegol yn gallu bod yn *downer* . . . sori. Ti'n gw'bod beth wy'n feddwl. O'dd plentyn bach cythreulig 'da nghariad i hefyd, rial Damian bach.'

'Wel, ni'n dou wedi dysgu gwersi heno 'te, Owen – peidio dewis rhywun 'da *baggage* y tro nesa! Wy'n meddwl cael hoe fach o ddynion am sbel. Ma'n lwc i mor wael 'da nhw. Wy am ganolbwyntio ar 'y ngwaith am unwaith!'

'Falle bydde fe'n syniad da i fi gael *time out* 'fyd,' cytunodd Owen yn feddylgar, er ei fod yn ysu am roi snog i Mari. Bach yn gynnar i'r ddau ohonyn nhw, falle.

'Ti dal yn Gwalia TV, Mari?'

'Ydw, dal yn creu syniadau i'r comisiynwyr coc-oen Cymreig!'

'Wel, os oes jobyn yn mynd yno, rho w'bod – dwi wedi cael llond bola ar raglenni plant. Os glywa i un jingl arall, fe ddo i mewn i'r gwaith gydag *uzi* a saethu'r teganau meddal i gyd! A smo Damian bach wedi neud i fi newid 'y meddwl chwaith!'

'Ma 'na jobyn yn mynd 'da ni, fel ma'n digwydd. Is-gynhyrchydd. Gwranda, wna i sôn amdanat ti wrth y bòs. Wedi'r cwbwl, ar ôl i fi bron â dy ladd di, 'na'r lleia galla i wneud.'

Gwenodd Owen arni, a chlinciodd y ddau eu gwydrau at ei gilydd mewn llwncdestun. Falle nad oedd heno wedi bod yn noson mor ofnadwy wedi'r cwbl.

Pennod 6

Mari: Mr Neis
2001

Wyddai Mari ddim pam y cytunodd i ddod i noson *singles* yn nhafarn y Wharf yn y Bae. Roedd yr holl beth yn arogli fel tomen o rywbeth drewllyd, déspret. Ond perswadiodd Sara hi trwy ddweud, 'Falle bod dy ddyn perffaith di'n mynd i fod yna heno ac os na ei di, byddi di'n colli dy gyfle. Bydd e'n bennu lan gyda rhywun arall . . . ddim ti. Trasiedi, dy ddyn perffaith di gyda menyw arall.'

'Sa i'n credu,' oedd ateb difater Mari. 'Achos *clever clogs,* fydden i ddim yn gw'bod ei fod e'n bodoli, felly fydden i ddim yn sylweddoli beth o'n i wedi'i golli, *smart arse.*'

'Wel, ti'n gw'bod nawr achos dw i newydd ddweud wrthot ti!' atebodd Sara'n fuddugoliaethus. 'Mari, ti'n dri deg rhywbeth nid chwe deg rhywbeth! Ma isie i ti joio chydig. Ti heb gael dêt ers . . .' Arhosodd Sara'n stond cyn cyrraedd diwedd y frawddeg a'r enw. Gwyddai fod colli Rob wedi bwrw Mari'n galed.

'Rob,' gorffennodd Mari'r brawddeg iddi'n ddi-emosiwn. 'Ocê, ond wy'n gw'bod mai'r rheswm pam dy fod ti rili isie mynd yw achos bod y barman secsi 'na ti'n ffansïo'n gweithio'n y Wharf heno.'

'Falle taw e,' winciodd Sara'n llawn ddireidi. 'Ond dwi rili isie i ti, fy ffrind penna, fwynhau noson allan a 'bach o sbri heb gymhlethdodau. Ody hynny mor wael?'

'Ma 'na wastad gymhlethdodau,' dywedodd Mari'n chwerw.

Eniwê, dyma lle roedd hi a Sara'n sefyll wrth y bar i gyfeiliant 'I feel love' gan Donna Summer, wedi eu hamgylchynu gan drueiniaid déspret y brifddinas. 'Dwi wedi gweld mwy o fywyd mewn *morgue,*' dywedodd Mari'n ddirmygus.

'Wel, sdim rhaid i ni dynnu, gallwn ni wastad jyst minglo.' Cododd Sara ei llaw yn fflyrti ar y barman secsi a gwenodd yntau'n swil yn ôl arni.

'Minglo? Minglo 'da pwy? *Looky-likey* Fred West draw fan 'na?' atebodd Mari'n swta wrth edrych ar un enghraifft anffodus o'i blaen.

'Nawr, Mari, gytunon ni bod ti'n rhy *choosy.*'

'Pryd yn gwmws? Pan o't ti'n trio nghael i fynd mas 'da dy gefnder di sy'n edrych fel brawd hŷn mwy blewog Bin Laden?'

'Fred West, Bin Laden. Ti'n *obsessed*!' Ochneidiodd Sara i mewn i'w chocteil.

'Wel, ma'r rhan fwyaf o bobol yn adnabod y llofruddwyr sy'n eu lladd nhw. Ma hynny'n ffaith!'

'Os fydden i isie gw'bod pethe fel 'na, bydden i'n watsho *Crimewatch.*'

'Bydde fe'n well na watsho *Slime-watch* gyda'r *creeps* 'ma sy fan hyn!'

Dechreuodd Donna Summer ganu'n uwch i gyrraedd uchafbwynt meddwol, sylwodd Mari ar ddyn main a thal yn ei dridegau cynnar yn dawnsio'n lletchwith gerllaw iddynt. Roedd e'n eitha golygus mewn ffordd *nerdy*, er bod ei farf bach *goatee* browngoch yn amharu braidd ar fap ei wyneb. Sylwodd Sara arno fe hefyd. ''Co, ma un yn dod nawr! Edrych yn neis!'

'Hoyw, siŵr o fod.' Teimlai Mari'n hynod besimistaidd.

'Hisht, w!' gwichiodd Sara. 'Mae'n dod draw!

Roedd hi'n amlwg i'r ddwy ohonynt fod gan y dyn yma ddiddordeb yn Mari. Cerddodd draw ati a gwenu'n gyfeillgar. Gwenodd Mari'n ôl yn boléit. Yffach! Gobeithio nad oedd e'n mynd i ddefnyddio un o'r *chat-up lines* echrydus yna arni, y math o beth sy'n gneud i fenyw ag unrhyw fath o hunan-barch grinjo. Paratôdd ei hun.

'Helo, sgwennwr y'ch chi?'

'Be?' Daeth y cwestiwn o nunlle.

'Ry'ch chi'n edrych fel sgwennwr, 'na i gyd.' Sylwodd Mari fod gan y dyn lygaid caredig. 'Ydw i'n iawn?'

Er syndod iddi'i hun, roedd Mari'n eitha hoffi'r lein yma. 'Wel, wy 'di sgwennu chydig o straeon byrion yn fy amser.'

'Cafodd un ei chyhoeddi yn *Golwg*!' dywedodd Sara, i gefnogi ei ffrind gorau.

'Hoffwn i ddarllen dy straeon byrion di,' dywedodd y dyn yn frwdfrydig.

Edrychodd Mari arno eto; roedd ei olwg *nerdy*'n eitha apelio ati. Wedi'r cwbl, roedd hi wedi trio'r teip confensiynol – tal, tywyll a golygus. Beth am drio *nerd*? Roedd e'n eitha ciwt, mewn ffordd Mulder-aidd. Dechreuodd fflyrtio'n ysgafn gydag e, 'Wel, gewn ni weld . . . Mae'n dibynnu os wnei di siafio'r *goatee* bach 'na i ffwrdd gynta.'

Cyffyrddodd ei farf yn feddylgar a dechrau chwerthin yn swil.

'Beth yw d'enw di?' holodd Sara'n eofn.

'Gari.'

'Gari, 'co Mari.'

Chwarddodd Sara'n afreolus ar ei hodl athrylithgar. Edrychodd Mari a Gari arni'n rhyfedd. Erbyn hyn roedd Sara wedi cael digon o'r fflyrtio diniwed ac roedd hi'n awyddus i gyflymu'r broses. Gafaelodd ym mraich Gari a datgan, 'Reit te Gari, *lovely boy,* gei di ddod gyda fi i'r bar i brynu'r diodydd.'

Am y ddwy flynedd nesa, roedd Mari'n gwbl bendant mai Gari oedd 'Mr Perffaith'. Roedd e wedi siafio'r *goatee* i ffwrdd erbyn eu dêt cyntaf – ymweliad i'r sinema i weld *Donnie Darko,* hanes *nerd* lletchwith sy'n byw mewn byd ffantasi. Ac roedd eu henwau hyd yn oed yn odli hefyd. Heriodd Sara hi, tasen nhw'n cael mab, y gallen nhw ei alw fe'n Barri – jyst am *laugh*!

I Gari, roedd popeth a wnâi Mari'n anhygoel. Roedd hi'n *gorgeous,* hyd yn oed pan fagodd ddwy stôn o bwysau a'i thad yn dweud ei bod hi'n edrych fel 'Elvis yn ei Vegas years'. Oedd, roedd eu bywyd carwriaethol yn grêt, a'u perthynas yn debyg i gwch ar lyn llonydd yn hwylio'n ddidrafferth heb gwmwl yn yr wybren. Felly roedd hi'n *no-brainer* dweud 'Gwnaf' wrtho pan aeth Gari i lawr ar un ben-glin yn y Wharf, eu man cyfarfod, ar Nos Calan 2003, a gofyn iddi'n grynedig, 'Mari, wnei di fy anrhydeddu i drwy gytuno i mhriodi i?' Druan o Gari, nid cynnig slic, soffistigedig oedd hwn, ond roedd yn gynnig o'r galon.

Dewisodd Gari fodrwy fach emrallt chwaethus iddi o siop *antiques* yn yr arcêd, a gwisgodd Mari hi'n falch. O'r diwedd, roedd ganddi bartner selog, normal.

Weithiau meddyliai ei fod e'n dipyn o *lap-dog*, yn disgwyl iddi hi gymryd yr awenau'n y gwely ac yn cytuno â phob gair a ddeuai o'i genau. Ond roedd e'n selog ac yn ddiogel, roedd hi wedi croesi'i thri deg ac roedd yn hen bryd iddi setlo. Doedd hi ddim isie bod fel yr hen wragedd déspret yna a welai ar Stryd y Santes Fair ar nos Sadyrnau, yn berocseid, *varicose veins* a *sequins* drostynt, yn ceisio tynnu iobs ifanc y ddinas am *shag*. Ac roedd hi wedi trio pob math yn eu tro, yn doedd? Beth oedd yn bod ar Mr Neis? Roedd yn rhaid iddi gofio nad oedd ei 'dyn delfrydol' (cyfuniad o hiwmor Billy Crystal yn *When Harry Met Sally*, pryd a gwedd Johnny Depp yn *Blow*, a pherygl anwadal De Niro yn *Taxi Driver*), yn bodoli mewn bywyd go iawn.

Penderfynodd y ddau ar briodas haf gan ddewis pen-blwydd Gari, 20 Awst, fel y dyddiad perffaith. Roedd ei mam a'i thad wrth eu boddau gyda Gari. Roedd ganddo swydd ddiogel fel technegydd sain ac roedd ei agwedd ddiymhongar a chwrtais wedi swyno'i mam o'r cychwyn. *Lovely boy*.

Un diwrnod ym mis Mehefin, ddeufis cyn y briodas, a Mari a'i mam yn gweithio ar y rhestr gwahoddiadau yn y gegin, dywedodd ei mam rywbeth wnaeth ei hysgwyd hi'n llwyr. 'Mari, ti'n gwybod bod Gari'n meddwl mwy ohonot ti nag wyt ti'n ei feddwl ohono fe.' Edrychodd ei mam i fyw ei llygaid gan ddisgwyl ymateb.

'Sori?' holodd Mari'n syn gan syllu ar y pentwr amlenni o'i blaen a llyfu cefn un arall o'r amlenni gwahoddiadau niferus cyn ei gosod ar y pentwr o'i blaen.

'Mae'n amlwg fod y crwt yn dy addoli di. Wy'n gw'bod dy fod ti'n hoff iawn ohono fe, ond dwi ddim yn meddwl dy fod ti wir yn teimlo'r un fath ag e.'

Typical! Dyna'i mam unwaith eto yn ceisio strywo popeth! Atebodd Mari'n ffyrnig, 'Mam, wy'n meddwl y byd o Gari! Chi jyst yn codi bwganod nawr!'

'Gwna'n siŵr dy fod ti'n priodi Gari am y rhesymau cywir. Mae'n ddigon caled cael priodas i lwyddo ar y gore, ti'n gwybod.' Siaradai ei mam yn bwyllog a thawel.

'Dwi YN siŵr, Mam. Nawr, peidiwch â dweud rhagor! Byddwch chi'n strywo pob dim!'

Ddywedodd ei mam 'run gair arall ar y pwnc wedi hynny, a thaflodd ei hun yn frwdfrydig i mewn i goreograffi trefnu'r dydd mawr. Roedd hi wrth ei bodd yn haglo gyda'r ddynes deisennau, yr arlwywyr a'r siop flodau leol, ac roedd y cyfan wedi'i drefnu i'r manylyn diwethaf erbyn mis Gorffennaf.

Ond plannwyd hedyn amheuaeth ym meddwl Mari wedi'r sgwrs honno, ac wrth i ddyddiad y briodas agosáu roedd ei hamheuon yn dyfnhau ac yn troi o fod yn siapiau annelwig i fod yn ffurfiau tywyll mwy diriaethol. Wnaeth y ddadl uffernol gyda Gwenda, mam Gari, ddim helpu pethau chwaith.

Roedd Gwenda'n gwbl wahanol i fam Mari, yn fohemaidd iawn ac yn byw mewn hen dŷ carreg, llawn cathod, ym Machynlleth. Cafodd Mari, a brofodd fagwraeth antiseptig ei mam lanwedd, gryn sioc o weld Gwenda'n gosod y powlenni *lasagne* ar y llawr ar ôl swper, i'r cathod gael llyfu'r gweddillion. Roedd Gwenda'n wahanol i'r mamau Cymreig arferol yn hanesydd teulu uchel ei pharch yn y cylchoedd academaidd. Roedd hi'n ysmygu fel injan a phenderfynodd ar fywyd sengl wedi iddi ysgaru tad Gari, cerddor penchwiban oedd yn or-hoff o'r botel whisgi, yn y saithdegau. Gari a'i chwaer Lisa, oedd ei byd ac er nad oedd hi'n cyfrannu ceiniog at y briodas – tad Mari oedd yn talu am y cyfan – roedd ganddi syniadau pendant am y trefniadau serch hynny.

Bu'n ffonio Gari'n ddi-baid ers misoedd yn gofyn iddo ychwanegu rhyw gefndryd pell at y rhestr o wahoddedigion, dieithriaid llwyr i Gari oedd yn byw yn ne Lloegr. Ceisiodd Gari, yn ei ffordd heddychlon a chymodlon, esbonio i'w fam bod y gost ychwanegol i fwydo'r teulu o estroniaid yn ormod o faich i ofyn i deulu Mari ei hysgwyddo, yn enwedig gan nad oedd e erioed wedi cyfarfod ei gefndryd. Ond doedd dim yn tycio – roedd Gwenda'n bendant iawn, ac un noson gwnaeth fygythiad ofnadwy dros y ffôn. Os na fyddai'r cefndryd yn cael gwahoddiad yna gwnâi'n siŵr na fyddai hi, ei merch Lisa, na'i chwaer Sali a'i theulu hithau'n dod i'r briodas. Gan mai nhw oedd yr unig deulu agos oedd gan Gari, roedd hyn yn fygythiad peryglus a allai ddinistrio'r holl ddiwrnod i bawb.

Teimlai Mari'r gwaed yn drybowndian yn ei chlustiau pan welodd Gari'n gwelwi wrth wrando ar ei fam yn gweiddi i lawr y ffôn. Reit, roedd hi wedi dioddef digon o'r hen fitsh wallgof. Os nad oedd Gari'n ddigon o ddyn i sortio hyn allan, yna byddai'n rhaid iddi hi wneud hynny drosto. Gafaelodd Mari yn y ffôn a dweud yn ffug-siriol, 'Helô, Gwenda, Mari sy 'ma. Beth yw'r broblem?'

'Wel, Mari,' atebodd honno yn ei llais ffroenuchel. 'Dwi'n meddwl bod y peth yn warthus; ry'ch chi'n trin ein teulu ni fel dinasyddion eilradd. Yn fy nydd i, roedd aelodau'r ddau deulu'n cael dod i'r briodas.'

'Wel, Gwenda, falle bydde fe'n help tasech chi'n talu hanner y gost hefyd, wedyn allen ni drafod.'

A rhoddodd Mari'r ffôn i lawr arni gyda chlep hunan-gyfiawn. Dyna ddysgu gwers iddi hi, madam!

Ond ar ôl trafod yn fflamgoch gyda'i mam a'i thad, penderfynodd Mari gytuno i'r cefndryd diawledig gael mynychu'r briodas, er mwyn Gari. Ond, fel dywedodd wrtho, ni fyddai'n siarad gyda Gwenda ar y diwrnod, a fyddai'r ast ddim yn cael bod yn y lluniau chwaith. Derbyniodd Gari y newyddion yn dawel, heb gweryl na phrotest. Edrychodd Mari arno'n siarad yn dawel gyda'i fam ar y ffôn i esbonio'r trefniadau newydd, a sylweddoli gyda siom nad oedd hi'n ei barchu o gwbl. Dylai e fod wedi sortio hyn. Gwenda oedd ei fam e. Pam wnaeth e adael y cwbl i Mari? A pham na wnaeth e ddweud wrth Mari ei fod e eisiau i'w fam a'i deulu fod yn y lluniau priodas? Dyna beth oedd Mari eisiau iddo'i wneud. Dangos ychydig o asgwrn cefn am unwaith, ymladd ei gornel. A oedd hi wir eisiau treulio gweddill ei bywyd gyda chymeriad mor llipa?

Roedd hi'n rhy hwyr. Symudodd trefniadau'r briodas yn eu blaenau'n gynt na Concorde a gwyddai Mari y byddai ei theulu'n cael ei siomi'n enbyd petai'n canslo'r diwrnod mawr. Roedd yn rhaid iddi barhau gyda'r sioe; roedd hynny'n haws na dinistrio diwrnod Gari a'i rhieni.

Doedd Gari ddim yn sylweddoli bod dim byd o'i le, ac roedd mor gariadus a thyner ag erioed. Ond doedd Mari ddim yn teimlo'r un fath tuag ato mwyach. Bob tro y ceisiai glosio ati, roedd hi'n ffeindio esgusodion niferus i osgoi'r weithred. Roedd ei misglwyf wedi cyrraedd, neu'r hen glasur, bod ganddi ben tost, neu roedd hi wedi blino. Penderfynodd, ar ôl i Gari geisio datod ei bra ar ôl noson feddwol allan, i roi gwell esgus iddo am ei diffyg diddordeb iddo.

'Gari, dwi'n meddwl y byddai'n fwy rhamantus tasen ni ddim yn cael rhyw nes ein bod ni wedi priodi. Dwi'n eitha henffasiwn fel yna, a bydd ein mis mêl yn teimlo'n fwy sbesial wedyn.'

Cytunodd Gari druan â'i dymuniad, yn ôl ei arfer, a'i chanmol am y fath syniad rhamantaidd. Diolch byth! Ni fyddai'n rhaid iddi ffugio *orgasm* am fis o leiaf.

Bythefnos cyn y briodas, aeth Gari a Mari i'r sinema bychan yng Nghanolfan y Chapter i weld ailddangosiad o'i hoff ffilm, *Run Lola Run*; ffilm o'r Almaen lle mae'r ferch yn gweld tri gwahanol ddiweddglo i'w stori. Gan eistedd yn y tywyllwch yn cnoi ar ei phopcorn, dechreuodd Mari feddwl tybed a oedd hi'n colli diweddglo gwell i'w bywyd petai hi'n priodi Gari? Oedd yna ddyn arall allan yna'n aros amdani, dyn a allai gynnig popeth iddi – y dyn perffaith? Syllodd ar Gari yn cnoi ei m+ms, wedi ymgolli'n llwyr yn y ffilm, a gwnaeth y penderfyniad yn y fan a'r lle. Roedd yn rhaid iddi weithredu, cyn iddi fod yn rhy hwyr . . . *Run Mari Run*.

Wythnos yn ddiweddarach, a hithau heb allu meddwl am ddim byd arall, penderfynodd orffen gyda Gari. Coginiodd ei hoff swper – dyma fyddai ei swper olaf gyda hi – sef selsig, tato stwnsh a grefi, ac roedd yn hapus ei fyd yn yfed potel o San Miguel yn yr ystafell fyw pan ddaeth Mari i eistedd wrth ei ochr ar y soffa. Anadlodd yn ddwfn – dim ond wythnos oedd ar ôl cyn y briodas ac roedd yn rhaid iddi ddweud rhywbeth.

'Gari, dwi isie siarad . . .'

'Mmm?' Roedd holl sylw Gari ar y bocs.

'Wy ddim yn meddwl y galla i dy briodi di.'

Trodd Gari ei ben yn araf oddi wrth y sgrin. Edrychodd arni gyda'i lygaid brown yn syn fel rhai ci bach.

'Wy wedi bod yn meddwl llawer amdanon ni'n ddiweddar. A, wel, dwi ddim yn meddwl ein bod ni'n siwtio'n gilydd ddigon i briodi.' Daeth y geiriau allan yn un stribed gwyllt.

Sylwodd fod y dagrau'n dechrau cronni yn llygaid Gari. 'Ond dwy flynedd, Mari . . . Ni 'di bwcio Castell Coch a phopeth . . .'

'Wy'n gw'bod, ond gewn ni hanner yr arian 'nôl. Alla i ddim dy briodi di, Gari. Sa i'n dy garu di ddigon.'

'A thithe wedi dweud droeon dy fod ti?'

Teimlai Mari'r dagrau'n cronni; roedd hyn yn llawer mwy anodd na phan roedd hi wedi chwarae'r olygfa yn ei dychymyg. Yn yr olygfa ddychmygol, roedd Gari'n cytuno â hi'n ddi-ffws ac yn ei chofleidio'n ddiolchgar am wneud y penderfyniad anodd drostynt eu dau cyn pacio'i fagiau'n gyflym a diflannu i'r cysgodion. Yn eironig ddigon, gwyddai nawr na fyddai Gari'n ildio'n hawdd.

'Fel ffrind, plîs, paid â gwneud hyn yn fwy anodd i fi. Mae'n wir ddrwg 'da fi.'

Syllodd arno gan obeithio y gallai weld fod yr hyn roedd hi'n ei ddweud yn gwneud synnwyr. Cododd Gari ar ei draed a dweud yn benderfynol, 'Alla i newid . . . Alla i fod yn fwy *macho*! Ti isie i fi fod yn fwy *macho*? Dyna be wyt ti isie?'

Yn gwbl désbret, gafaelodd Gari yn y botel San Miguel ar y bwrdd coffi gerllaw a'i thaflu ar y llawr yn awdurdodol a *macho*. Ond thorrodd y botel ddim; rholiodd yn ddiymadferth am ychydig cyn gorffwys ger y lle tân.

Gwenodd Mari arno'n garedig a dweud yn dawel, 'Fedri di ddim newid pwy wyt ti, ti'n berson lyfli . . . ffeindi di rywun i dy siwtio di'n well wy'n siŵr . . .'

'Be sy wedi gwneud i ti newid dy feddwl? O'n i'n meddwl 'yn bod ni'n hapus gyda'n gilydd?'

'O'n i yn . . . ti'n grêt, ond o'n i'n aros gyda ti achos mod i'n ofni bod yn sengl eto. O'n i'n setlo am ail ore . . . A dyw hynny ddim yn deg i ti nag i mi.'

'Ti'n gweud nad ydw i'n ddigon da i ti neu rywbeth?' Syllodd Gari arni gyda dicter dieithr yn llenwi'i lygaid.

'Na, ddim o gwbl. A bod yn onest, dwi'n meddwl dy fod ti'n rhy dda i fi,' dywedodd Mari'n gyflym gan ddifaru ei geiriau'n syth. 'Drycha Gari, ma angen rhywun arna i sy'n mynd i roi stwr i fi, rhoi fi yn fy lle, rhywun sy'n gallu ateb 'nôl.'

'Alla i neud hynny i gyd, wy'n addo. Wy'n dy garu di gymaint. Beth am i ni drio 'to? Rhag i ti ddifaru . . . Mari? Plis?'

Ond gwyddai Mari yn ei chalon nad oedd hynny'n bosibl. Tynnodd ei hun yn rhydd o'i freichiau. 'Ni'n gneud y peth iawn, Gari. Dwi ddim yn dy garu di ddigon i dy briodi di, ac mewn amser byddi di'n diolch i fi, gei di weld. Baset ti'n dod i nghasáu i.'

'Byth, byth!' Roedd Gari'n igian crio bellach.

Cydiodd Mari yn ei bag nos, a threfnu i symud i mewn at Sara am y tro.

Trodd Gari i edrych arni, 'Oes rhywun arall gen ti?' holodd.

Ysgydwodd Mari ei phen yn drist, heb ychwanegu'r hyn oedd yn ei meddwl, *neb real, dim ond breuddwyd* . . . Gwyddai, pe na byddai'n cymryd y cam hwn nawr y byddai'n difaru am byth a meddwl am beth allai fod wedi digwydd petai ond wedi bod yn ddigon dewr i adael. Fel dywedodd Sara, byddai'n beth hawdd a saff i gladdu'r gwir a byw celwydd mewn priodas blatonaidd, ddiogel gyda Gari. Roedd hi'n dipyn mwy brawychus gorfod dechrau o'r dechrau unwaith eto, a chwrso rhywbeth oedd yn rhith iddi ar hyn o bryd a falle, bod yn unig am weddill ei bywyd.

'Edrych ar ôl dy hunan, Gari.'

'A ti,' dywedodd Gari o ganol pwll ei dorcalon. Hyd yn oed yn y dyfnderoedd hynny roedd e'n dal i fod yn ŵr bonheddig.

'Drefna i i ganslo'r briodas . . .' Roedd Mari'n ofni beth fyddai gan ei mam a'i thad i'w ddweud. Byddai colli'r blaendaliadau'n sicr o'u digio. Ond gwyddai hefyd y byddai ei mam yn ei chefnogi yn y pen draw – wedi'r cwbl, hi blannodd yr hedyn amheuaeth yn ei meddwl.

Wrth yrru allan o'u cartref am y tro olaf y noson honno, trodd Mari y car tuag at y Bae, ac i gyfeiriad fflat Sara. Teimlai gyfuniad o ryddhad ac ofn. Roedd hi ar ei phen ei hun unwaith eto.

Owen: Miss Aduniad
2002

Meddyliai Owen yn aml am 'the one that got away'. Mae un o'r rheiny ym mywyd carwriaethol y rhan fwyaf o bobl. Prif gymeriad ei fersiwn ef o'r hen stori honno oedd Michelle Richards . . . roedd hi fel y ferch chwedlonol o *Baywatch,* y ferch ddigyffwrdd gyda'i gwallt sidan aur a'i choesau siapus . . . Y ferch y rhoddodd e *sick shampoo* iddi hi.

Gwyddai y byddai eu llwybrau'n croesi eto rhyw ddydd, pan fyddai'n deilwng i'w hennill hi. Daeth y foment fawr – dros ddeng mlynedd ar ôl eu dêt gyntaf, wel eu hunig ddêt – mewn aduniad ysgol.

Roedd Owen wedi bod ar bigau'r drain trwy'r dydd yn paratoi ar gyfer ei gweld hi unwaith eto, ac yn benderfynol na fyddai Michelle yn ei ystyried e fel y methiant truenus welodd hi ar eu dêt anffodus. Na, roedd e bellach yn ddyn, wedi profi llawer o dreialon bywyd ac wedi aeddfedu fel gwin o safon . . .

Gwisgai ei grys a'i jîns Diesel newydd, roedd wedi cael torri'i wallt yn Vidal Sassoon, ac fel dywedodd Huw wrthynt cyn adael, roedd e'n edrych yn gwbl wahanol i shwt oedd e'n edrych yn ysgol. Dim plorod, dim gwallt sbeici wythdegau anffodus, a dim problem cyfogi'n ddireolaeth. Nawr, gobeithio i Dduw y byddai Michelle yn dod i'r aduniad iddi gael gweld y trawsffurfiad rhyfeddol drosti ei hun.

Safai Owen a Huw wrth y bar yn cadw llygad barcud *bachelor* ar y fynedfa. Roedd Huw wedi cael digon yn barod ac yn dechrau crintachu. 'Pam wnest ti mherswadio i i ddod i'r *School Reunion* afiach 'ma? Taswn i isie cadw mewn cysylltiad 'da'r ffycars 'ma ar ôl gadael ysgol, bydden i wedi gwneud, a sa i wedi.'

Gwenodd Owen arno a cheisio codi'i ysbryd. 'Heblaw amdana i,' meddai'n joli.

Chwarddodd Huw, 'Ie, wel, mi wyt ti'n *special case*, boio. Gyda'r pwyslais ar y *special*.'

'Ie, reit. Dim fi o'dd yn y set waelod ar gyfer Maths.'

'Ma pawb cŵl yn ffaelu gwneud Maths, *dur-brain*. Eniwê, fi'n gwybod pam ti 'di llusgo fi 'ma heno. *Michelle, my belle*,' dechreuodd Huw ganu un o glasuron y Beatles yn uchel yng nghlust Owen.

'Shwsh, myn!' Poenai Owen fod pawb yn ei glywed. 'Ie, wel ma angen *closure* arna i . . .'

'*Closure*? Be? O'dd bod yn sic drosti'r tro diwetha ddim yn ddigon? Ti eisiau gorffen y *job* go iawn tro 'ma?'

'Wedes ti na fyddet ti byth yn sôn am hwnna eto!'

'Ocê, ocê. *Cool yer jets*. Ei! Co hi draw fanna, achan! O'r mowredd . . .'

Teimlodd Owen don o banig yn rhuthro trwy'i gorff. Beth os byddai hi'n hyll, yn dew, neu'n waeth byth, 'run mor brydferth ag erioed? 'Dwi methu edrych!' sibrydodd mewn panig. 'Ody hi dal yn ffit?'

Gallai Owen weld drosto'i hun wrth i Michelle groesi'r ystafell tuag atynt, mewn ffrog goch dynn a ddangosai ei chorff ffrwydrol i'r dim. Na, doedd hi heb newid. Os rhywbeth, roedd yn ddelach nag erioed, er nad oedd Owen yn or-hoff o'i gwallt, oedd wedi'i godi'n binafal cyrliog am ei phen, a thrwch o golur am ei hwyneb tlws. Gwenodd Michelle arnynt yn hyderus gan droi at Owen, 'Haia Owen, o'n i'n meddwl mai ti oedd e.'

Gwenodd Owen gan geisio bod yn cŵl, 'Haia Michelle . . . Ti'n edrych yn . . . grêt . . .'

Chwarddodd Michelle, 'Ti heb newid dim, Owen!'

Be? Edrych 'run fath ag yr oedd yn yr ysgol? Oedd hi'n dall? Gallai deimlo Huw yn crechwenu yn ei ymyl a dywedodd Owen yn gyflym wrthi, 'Gwranda, ti isie diod? O'dd Huw jyst yn mynd i'r bar . . . yn doeddet, Huw?'

Trodd Huw tuag ato i wadu'r ffaith, yna deallodd yn araf fod Owen yn awyddus iddo fynd o'r ffordd. 'E? O, ie, be gymri di, Michelle? Thunderbird ife?' Snortiodd Huw ar ei jôc hynod.

Atebodd Michelle heb eironi, 'Na, sa i'n yfed Thunderbird rhagor . . . G an' T mowr plîs.' A diflannodd Huw i gyfeiriad y bar.

Uwch eu pennau, roedd saib lletchwith yn hongian wrth i Owen a Michelle sefyll yno gyda'r goleuadau disgo amryliw yn chwyrlïo o'u cwmpas. Byddai'n rhaid iddo ymddiheuro iddi am y chwydu anffodus cyn i Huw ddod 'nôl.

'Gwranda, Michelle, dwi'n rili sori am beth ddigwyddodd ar ein dêt ni . . .'

'Es i off *blow-jobs* am dipyn ar ôl 'na, ti'n gw'bod!'

Gwenodd Owen yn wan. 'Ie, wel, ga'th e gryn effaith arna inne hefyd . . .'

'Dŵr dan bont *and all that*,' dywedodd Michelle yn ysgafn cyn newid y pwnc. 'Beth wyt ti'n 'neud 'da dy hunan dyddie 'ma? Priod, *2.4 children* neu be?'

Ha! Roedd hi'n amlwg yn pysgota i weld a oedd e'n sengl. Cododd calon Owen ychydig. 'Na, sengl, ti'n gw'bod. Wy'n ymchwilydd i gwmni teledu . . .'

Daeth fflach o ddiddordeb i lygaid Michelle, 'W, *glam* iawn . . .' Gwenodd Owen yn ddihymongar, 'Wel, dwi'm yn gwybod . . .'

'Ar be' ti'n gweithio?' holodd Michelle. '*Dr Who* neu beth yw'r llall . . . yym . . .'

'*Belonging*?' cynigiodd Owen.

Cyffrôdd Michelle drwyddi gan weiddi'n llawn cynnwrf, 'Ie, *O my God*! Ti'n gweithio ar *Belonging*?!'

'Na . . . yym . . . *Hacio* . . .'

'O . . . grêt . . . sa i'n . . .' Arhosodd Michelle ar ganol ei brawddeg yn amlwg heb gliw am beth oedd e'n sôn.

Roedd e'n ei cholli hi! Pam na allai fod wedi dweud celwydd a dweud, ie, *Belonging,* yn lle dweud y gwir! Ceisiodd newid y pwnc a thrio'i denu hi'n ôl cyn iddi fod yn rhy hwyr . . . Meddylia am rywbeth i'w rhwydo hi . . .

'O'n i wastad yn meddwl y byddet ti'n fodel . . .'

Chwarddodd Michelle yn falch gan wthio'i bronnau swmpus allan yn awtomatig. 'Wnes i 'bach o waith *glamour* pan o'n i'n iau. Ond ma'r plant yn cadw fi'n rhy brysur y dyddie 'ma i wneud rhyw lawer . . .'

Plant? *Bollocks*! Wrth gwrs bod ganddi blant! Doedd dim disgwyl i ferch fel hon fod ar y shelff o hyd! Ffŵl! Ceisiodd Owen guddio'i siom a nodio'n gall gan feddwl wrtho'i hun lle ddiawl oedd Huw gyda'r diodydd yna, y *twat*! Ei fai e oedd hyn i gyd, wel, bron i gyd . . .

Parhaodd Michelle i siarad heb sylwi ar ei olwg siomedig, 'Ie, ma nhw 'da'r *ex* heno . . .'

Cododd Owen ei galon unwaith yn rhagor. *Ex*? Falle bod siawns gyda fe wedi'r cwbl. Ocê, wnaeth pethe ddim gweithio mas 'da Rhian ac Alffi, ond roedd e'n fwy aeddfed erbyn hyn. Ac roedd e wastad wedi ffansïo bod yn un o'r 'tadau' cŵl yna fel y rhai yn yr hysbysebion, yn chwarae pêl-droed gyda'u meibion ciwt yn yr ardd, gyda'r wraig a edrychai fel *supermodel* yn eu galw'n gariadus at y bwrdd i fwyta'u swper moethus o Marks . . . *Stop*! Cyn iddo ddiflannu'n llwyr i'w ffantasi, penderfynodd hepgor unrhyw gynildeb yn ei gwestiynau a dweud yn eiddgar, 'Yr *ex*? Felly wyt ti'n sengl nawr?'

Taniodd Michelle sigarét yn fedrus cyn ateb, 'Ie, stori hir . . . Wy'n hapus iawn nawr 'da ngh ariad newydd i . . .' Oedodd cyn chwythu cylch perffaith o fwg fel *halo* uwch ei phen ac ychwanegu, 'Rebecca.'

Bu bron i Owen lyncu ei sigarét pan glywodd yr enw Rebecca.

'Rebecca?' ailadroddodd.

Chwarddodd Michelle yn falch gan ateb yn ddigon ddifater, 'Rebecca. Ie. *Once you've had muff, cock's never enough*!'

Safai saib mawr blewog rhwng y ddau ohonyn nhw wedi'r bom geiriol hwn, ac roedd Owen yn ystyried beth ddylai ei ddweud nesaf. Penderfynodd mai dianc fyddai'r dewis gorau.

'*Muff* . . . da iawn . . . Wel, Michelle, well i fi fynd i'r bar i weld lle ma Huw 'da'r drincs 'na, ife?' Gwenodd yn gwrtais ar Michelle cyn rhuthro at y bar a gweiddi'n sgrechlyd, 'Huw!'

Once you've had muff, wir! Noson wast arall! Daeth Huw tuag ato'n sigledig gyda'u diodydd a syllu o'i gwmpas am Michelle, ''Na glou fuest ti, hwdest ti drosti 'to?'

Edrychodd Owen ar ei ffrind fel petai newydd gael ei urddo'n faer anobeithiol i Ddinas Nunlle, 'Na, ma Michelle wedi symud i Lesbos, Huw.'

Yfodd y ddau eu diodydd yn feddylgar. 'O wel,' meddai Huw'n dawel. 'Mae'n *closure* o ryw fath . . . sbo.'

Pennod 7

Mari: Mr Posib?
2005

'*So*, mae merch dy freuddwydion di bellach yn hoyw!' Chwarddodd Mari wedi gwrando ar stori Owen dros ddiod ar ôl gwaith un noson.

'T'wel, ar ôl iddi fod 'da fi, doedd yr un dyn arall yn ddigon da iddi!' chwarddodd Owen. '*Gin* arall?' holodd a chodi ar ei draed.

'Pam lai? Mae'n nos Wener wedi'r cwbwl.'

Syllodd Mari ar Owen yn mynd tua'r bar a sylweddolodd â syndod ei bod hi'n ei ffansïo. Roedd hi wedi meddwl ei fod e'n olygus y noson honno y bwrodd e oddi ar ei feic. Ond cryfhaodd yr atyniad wedi iddi ddod i adnabod ei bersonoliaeth hoffus a doniol yn y gwaith.

Roedd Owen yn wahanol i'w theip arferol – roedd e'n dal ond yn eitha tenau, ac arferai hi fynd am ddynion mwy cyhyrog, ond roedd ganddo wyneb ciwt, brychni mân ar ei drwyn a llygaid mawr tywyll, dwfn. Roedd hyd yn oed ei agwedd 'slacyr' at ei waith yn apelgar iawn, ynghyd â'i hiwmor. Ond roedd hi'n teimlo ei bod hi newydd orffen pethau gyda Gari a doedd hi ddim eisiau rhuthro i mewn i berthynas arall. Heblaw am hynny, roedd ei drac-record e gyda merched bron mor wael â'i un hithau gyda dynion. A doedd hi ddim yn meddwl ei bod e'n ei hystyried yn fwy na ffrind. Wedi'r cwbl, a fyddai e wedi rhannu'r stori am ei ymgais i gysgu gyda'i gyn-gariad ysgol petai e â diddordeb ynddi?

'Shwt ma pethe ers Gari?' holodd Owen yn ofalus. 'Gafodd dy rieni di beth o'r blaendal 'nôl?'

'Dim ceiniog. O'n i wedi'i gadael hi'n rhy hwyr. Dim ond wythnos oedd i fynd cyn y "diwrnod mawr", t'wel.'

'Ie wel, o'n i wedi prynu siwt newydd a phopeth!' atebodd Owen, gan geisio ysgafnhau'r sgwrs. 'Mae arnat ti gan punt i fi, ti'n gw'bod.'

'Dwi'n siŵr y daw'r siwt yn handi i ti ryw ddiwrnod.'

'Sa i am briodi am sbel,' dywedodd Owen yn fflat.

'Dal dim lwc gyda'r *laydeez*?' gofynnodd Mari gan ffugio diddordeb gwrthrychol.

'Ges i un dêt 'da'r ferch 'ma . . .' hwffiodd Owen yn ddiflas.

'Ti ddim yn swnio'n frwd iawn . . .'

'Na. Ma hi'n rili ffit, ti'n gw'bod; blonden, secsi ond . . . sdim lot 'da ni'n gyffredin, a does dim diddordeb gyda hi mewn dim heblaw am ffasiwn a *Hollyoaks*.'

A-ha! Dyna lle'r oedd Mari'n gallu sgorio'n uwch na'r *bimbo* yma. Doedd Mari ddim yn flonden secsi, ond roedd ganddi ymennydd ac roedd Owen y teip o foi oedd yn hoffi merched clyfar.

'Wel, ma personoliaeth yn fwy pwysig na perocseid a bŵbs mawr, ti'n gw'bod, Owen.'

'Ie, wy'n sylweddoli 'ny, ond ma'n *libido* i'n pallu gwrando. Ti'n cofio'r bennod 'na o *Seinfeld* . . ?'

Torrodd Mari ar ei draws a gorffen ei frawddeg, '. . . lle mae'i ben a'i bidyn e'n chwarae *chess* yn erbyn ei gilydd?'

'Yn gwmws!'

'A ti'n cofio bod ei ben e wedi ennill ar ddiwedd y dydd, ac yntau'n gorffen gyda'r bimbo!'

'Wel, dwi heb gyrraedd y *stage* yna eto,' gwenodd Owen. 'Eniwê, pam wnest ti orffen pethe 'da Gari? Wedest ti mo'r cwbwl wrtha i.'

'Mae'n stori ddiflas iawn, Owen. Er bod Gari'n rili lyfli, o'dd e'n ormod o *pushover* i fi. Dim sialens. Ac o'n i'n gw'bod nad oedden ni'n siwtio'n gilydd go iawn. Mae arna i angen rhywun sydd â bach mwy o asgwrn cefn, rhywun sy'n gallu fy rhoi i yn fy lle.' *Rhywun fel ti,* meddyliodd.

'Mmm, chi ferched. Chi'n dweud bod chi isie *new man,* ond mewn gwirionedd chi rili isie *caveman* fydd yn eich llusgo wrth eich *extensions* 'nôl i'r ogof am *good seeing to*!'

'Ti'n iawn! Pam ti'n meddwl bod y merched i gyd yn ffansïo Russell Crowe? Eniwê, chi ddynion 'run peth 'fyd. Chi'n esgus bod chi eisiau menyw annibynnol gydag ymennydd da, ond chi jyst isie *bimbo* ffit, fel Kelly Brook.'

'Na, ddim cweit,' difrifolodd Owen. 'Y'n ni isie wyneb a chorff Kelly Brook ond brêns Carol Vorderman.'

'Amhosib! Ac eniwê, ddarllenais i yn rhywle mai dim ond *third* cafodd hi yn ei gradd!'

'Paid â chwalu mreuddwyd i!' Llyncodd Owen y diferyn olaf o'i beint yn awchus.

'Diod arall?' Cleciodd Mari ei *gin* yn hapus. Roedd hi'n cael noson mor dda yn ei gwmni fel nad oedd hi eisiau mynd adre eto.

'Yffach Mari, odyn ni ar sesh 'te?'

'Odyn! Os wyt ti'n ddigon o ddyn i gadw i fyny 'da fi, hynny yw.'

Teimlai Mari'n fflyrti iawn a chwarddodd fel merch fach ysgol. Oedd, roedd heno am droi allan i fod yn noson a hanner.

'Pam wnest ti mherswadio i i ddod i Reflex?' gwaeddodd Owen.

Safai'r ddau ddau ohonyn nhw wrth y bar yng nghanol torf o *thirtysomethings* oedd yn déspret i geisio ail-afael yn eu hieuenctid coll mewn clwb cerddoriaeth wythdegau yng nghanol y dre.

'Owen, deffra wir. Ni'n ein tridegau nawr 'fyd, nid ein hugeiniau, ac ma'n rhaid i ni fynd i rywle lle na fyddwn ni'n edrych yn hen a thrist!' Roedd Mari'n feddw gaib erbyn hyn a doedd Owen ddim yn bell ar ei hôl hi.

'Wel sa i mor drist â hwnna draw fan 'na yn y dillad *Miami Vice* a'r *mullet*!' Pwyntiodd Owen at foi canol oed oedd yn dawnsio'n llon heb fripsyn o unrhyw beth hunanymwybodol i 'Thriller' Michael Jackson.

'Cym on, Owen, dere i ddawnsio!' Cydiodd Mari yn ei law a'i lusgo i'r llawr ar yr union foment pan orffennodd 'Thriller' ac i 'Crazy for You' gan Madonna ddechrau chwarae. 'Dyma'n hoff gân i! Pan o'n i'n un deg whech ac isie tynnu'r boi 'ma mewn disgo, wnes i ofyn i'r DJ ei chwarae e i fi . . .'

'Withodd e?'

'Do'dd y gân ddim gan y DJ, ond dynnes i'r boi eniwê. O'dd e'n real *loser*!'

'Mae'n rhaid ei fod e – arhosodd e ddim 'da ti.' Safodd Owen yn llonydd ac edrych i fyw ei llygaid.

Beth oedd hyn? Fflyrtio? A chyn i Mari gael cyfle i ddadansoddi rhagor, plygodd Owen tuag ati a dechrau ei snogio yng nghanol y llawr dawns. Roedd hi'n gusan hyfryd – un dyner, llawn teimlad. Cusanodd Mari e'n ôl. Teimlai fod yna rywbeth rhyngddyn nhw wedi'r cwbl. Toddodd y ddau i freichiau ei gilydd, ac anghofiodd Mari bopeth am Gari a helbulon y briodas. Falle mai Owen oedd yr un wedi'r cwbwl . . .

'Ti moyn rhannu tacsi 'nôl i'n lle i?' holodd Mari gan stryffaglu mewn i'w chot cyn cerdded at y ranc tacsis ar Heol y Santes Fair.

'Mari . . . well i fi beidio. Gronda, wy'n rili licio ti,' dechreuodd Owen. 'Ond ti newydd orffen 'da Gari ac y'n ni'n gweithio gyda'n gilydd . . . Dwi wedi bod yn y sefyllfa 'ma o'r blaen a gorffes i adael y job achos a'th pethe'n ffradach . . .'

'Owen, sa i'n gofyn i ti mhriodi i. Jyst bach o sbort, 'na i gyd.'

Daeth ymateb Owen fel bollt o nunlle, a synnodd Mari at ba mor siomedig y teimlai wrth gael ei gwrthod.

'Fi'n gw'bod. Ond wnes i addo i'n hunan na fydden i'n dechrau perthynas arall gyda rhywun yn y gwaith . . . Sori . . . A wy'n rili lico'r ffaith ein bod ni'n ffrindie. Sa i erioed wedi cael merch fel ffrind da o'r blaen. Ti'n gw'bod beth yw'n nhrac record i 'da merched.'

Gwyddai Mari o oslef ei lais na fyddai modd ei berswadio fe. Ond falle fod Owen yn iawn, roedd ei bywyd hi'n ddigon anodd fel ag yr oedd, a doedd hi ddim isie cymhlethdodau yn y gwaith chwaith. Y peth diwetha roedd Mari ei eisiau oedd begian ymhellach a gorfod ei wynebu fe yn y gwaith ddydd Llun. Dim ond cyfeillgarwch oedd Owen ei eisiau, roedd hynny'n amlwg.

'Ti'n iawn.' Roedd Mari'n déspret i adael nawr. 'Well i ni jyst aros yn ffrindie. Lot llai o drwbwl.'

'Falch bod ti'n cytuno.'

'Wela i ti ddydd Llun 'te,' dywedodd Mari mewn llais fflat, a'i thu mewn yn llosgi mewn embaras.

'Diolch am heno, Mari,' meddai Owen gan roi cusan fach ar foch Mari, yn ysgafn fel pilipala.

'Dim probs. 'Co nhacsi i.'

Eisteddodd Mari yn hafan unig ei thacsi. Trodd ei phen tuag yn ôl a gweld Owen yn cerdded yn ling-di-long ar bafin blinedig diwedd nos, a'i ddwylo yn ei bocedi. Oedd, mi roedd e'n ciwt ac efallai y gallai pethe fod wedi gweithio mas rhyngddynt. Ond os nad oedd e'n teimlo 'run fath, wel, doedd dim pwynt iddi hi hel meddyliau, nag oedd?

Owen: Miss Golau Coch
2006

'*Sorted*!' bloeddiodd Huw'n fuddugoliaethus. Taflodd fanylion bwcio Easyjet ar lin Owen.

'Be sy'n sorted?' Roedd Owen wedi ymgolli'n llwyr yn anturiaethau Glyn ac Imogen ar *Big Brother*, a doedd ganddo ddim cliw am beth oedd Huw'n frowlan.

'Y trip i Amsterdam, w! Wedi bwcio popeth. Gadael bore dydd Gwener a dod 'nôl bore Llun. Ni'n aros yn y Botel – hotel mewn cwch yn y canal, a'r cwbwl yn costio £300 yr un, yn cynnwys y ffleit!'

'Sawl seren yw'r hotel ma Huw?' holodd Owen yn amheus; roedd Huw wedi trefnu sawl gwesty hunllefus yn y gorffennol. Yr enghraifft waethaf oedd pan aethon nhw i Ddulyn i ddathlu'r flwyddyn newydd yn 2003. Cafodd Huw 'fargen' medde fe, hyd nes iddyn nhw ddarganfod mai tŷ cyngor budr, taith o ryw dri chwarter awr allan o'r ddinas, oedd y 'fargen', gyda mwy o glêr yn yr ystafell wely nag oedd ar wastatiroedd Affrica.

'Tair seren, diolch yn fowr. Smo ti'n trysto fi? Dim sgimpo tro 'ma, ac ma'r brecwast yn edrych yn grêt – pentyrrau o gig mochyn, wyau, selsig.'

'Ma'r bwyd wastad yn edrych yn neis ar y we, ond dyw hynny ddim yn golygu y bydd e'r un fath go iawn.'

'Gronda, o't ti ddim isie neud y trefniade dy hunan, felly ca' dy *chops* a bydda'n ddiolchgar fod *Uncle Huw's Tours* wedi gwneud y trefniadau i gyd drosto ti, fel arfer!'

'Olreit, olreit. Ond wy'n dy rybuddio di, smo fi'n cysgu mewn twlc.'

'Nawr 'te,' anwybyddodd Huw ei ddiffyg brwdfrydedd, 'Amser am beint bach o Amstel i ni gael 'bach o *Dutch Courage*!' Chwarddodd Huw'n uchel ar ei jôc ryngwladol.

'Reit, wy'n mynd i'r offi,' gafaelodd Owen yn ei got. Doedd e ddim am ddangos hynny i Huw, ond roedd e'n edrych ymlaen yn arw at y gwyliau yma. Doedd e erioed wedi bod yn Amsterdam ond roedd yn awchu i brofi pethau gorau'r ddinas – *smorgasbord* o dôp, cwrw a merched – a'r cyfan yn gyfreithlon! Trip a hanner fydde fe!

'Ble ma fe 'te? Y blydi Botel 'ma?'

Roedd Owen mewn perygl o swnio fel hen nag. Safai'r ddau ohonyn nhw yng nghanol dinas Amsterdam yn ceisio osgoi cael eu gwasgu gan dram arall yn rhuthro heibio fel corwynt.

'Ma'r map yn dweud ei fod e reit ar bwys Rembrandt Square.' Syllodd Huw ar ei fap fel hen ŵr yn craffu ar ei lyfr pensiwn. ''Co fe, ni ddim yn bell.'

Dychmygai Owen ryw *barge* mawr yn hwylio'n braf ar y tonnau, ond pan welodd y Botel cafodd ychydig o siom. Roedd yn adeilad mawr, gwyn, moel ar ryw fath o siâp cwch ond heb ronyn o steil yn perthyn iddo fe. Ta waeth, am unwaith roedden nhw'n agos at ganol y ddinas ac roedd hynny'n bwysicach na dim.

'T'wel?' cyhoeddodd Huw'n smỳg wedi iddyn nhw daflu'u bagiau ar y ddau wely sengl yn eu hystafell.

'Ydy Wncwl Huw wedi gwneud yn dda, neu ydy Wncwl Huw wedi gwneud yn dda?'

'Ma Wncwl Huw wedi gwneud yn dda, am unwaith. Ond dwi'n cadw'n *verdict* nes i fi weld y brecwast.'

'Reit 'te. Awn ni i chwilio am un o'r siope coffi 'na. Dyna lle ma nhw'n gwerthu'r stwff da.'

Ond doedd dod o hyd i'r siopau coffi 'ma ddim mor rhwydd â'r disgwyl. 'Dyma un!' cyhoeddai Huw'n ysbeidiol, cyn sylwi'n siomedig mai dim ond crempog a chwrw oedd ar werth yno. Dechreuodd y ddau grwydro'r ddinas fel dau hen bererin blin, siomedig, diangor.

'Beth am fynd am beint eniwê? Wy'n starfo!' Roedd Owen wedi diflasu'n llwyr ar y chwilota.

'Na, na. Dere myn. 'Co, ma un fan hyn! Grandad's Moustache! A 'co! Ma nhw'n gwerthu dôp!'

Rhuthrodd y ddau fel dau blentyn eiddgar mewn siop losin. Roedd yr awyrgylch yn fyglyd ac yn felys, a'r caffi bychan yn llawn personoliaeth gyda lluniau amrywiol o ysmygwyr enwoca hanes ar y muriau: Bob Marley, Humphrey Bogart, James Dean a Bette Davis yn eu plith. Syllodd Owen ar y *clientele* ac roedd hi yn syndod gweld fod yna drawstoriad cymdeithasol eang yn mwynhau'r cynnyrch, o fyfyrwyr wedi'u caethiwo dan ddredlocs i hen wreigan rychiog yn smocio pibell anferthol.

Doedd dim bwyd ar y fwydlen, ond nid y bwyd oedd yr atyniad. Rhoddodd y dyn tu ôl i'r cownter restr enfawr iddynt gydag enwau rif y gwlith o wahanol fathau o ganabis arni, a lluniau bychain o bob planhigyn yn ymyl pob enw. Gallech archebu spliffyn wedi'i rolio'n barod neu brynu'r deunydd rhydd i'w rolio'ch hun. Roedd Huw a Owen fel dau ffŵl yn rholio sigarennau, heb sôn am rolio spliff, ac ar ôl pendroni'n hir, dyma benderfynu ar yr un mwya 'meddal,' y *green goddess*.

'Yffarn! Ma'r *green goddess* 'ma'n ffein!' dywedodd Huw yn fodlon wrth iddo sugno'n ddwfn ar y spliff.

'Dyma'r bywyd! Diolch i ti, fy hen ffrind, am drefnu'r fath brofiad.'

'Croeso . . . man . . .' Gwenodd Huw a phasio'r spliff i Owen.

Ddwy awr yn ddiweddarach, roedd y ddau yn *stoned* fel ffyliaid ac eisiau bwyd yn druenus. Nododd Huw enw'r stryd a'i lleoliad ar ei fap wrth adael y caffi, rhag ofn iddynt ddiflannu drachefn i ddrysfa'r ddinas a'i rhwydwaith gymhleth o strydoedd.

Stwffiodd y ddau gynnwys bagaid o *falafels* blasus a brynwyd oddi ar stondin awyr agored, fel pe na bai digon o fwyd i'w gael yn y byd. Yna roedd y ddau yn barod am gwpwl o beints.

'Gewn ni brêc o'r spliffs am 'bach,' dywedodd Huw'n wybodus, 'rhag i ni peako'n rhy glou. Mae'n bwysig nad y'n ni'n gor-wneud pethe, achos ma tridie 'da ni i joio.'

'Peint 'te.'

Ar ôl peint neu ddeg o Amstel, roeddent yn feddw gaib ac wedi penderfynu'i throi hi tua thre. Cripiodd y ddau o gwmpas yn yr oriau mân – roedd hi bron yn ddau o'r gloch y bore ac Owen wedi blino'n rhacs.

Wrth i'r ddau grwydro trwy ardal hynafol De Wallen, sylwodd Owen ar y cyferbyniad rhyfedd o barchusrwydd ar un ochr o'r stryd ac anfoesoldeb rhemp ar yr ochr arall. Roedd Eglwysi mawreddog a godidog yn eistedd yn jycôs ochr yn ochr â siopau'r 'golau coch'. Roedd siopau rhyw yn gwerthu eitemau plastig afiach drws nesa i siop arteffactau crefyddol. Meddyliodd Owen ei fod yn addas mewn ffordd od – wedi'r cwbl, roedd daioni a phechod yn mynd law yn llaw. Efallai fod y dôp a'r cwrw wedi cael effaith ryfedd arno.

'Ffycin 'el!' ebychodd Huw, ei lygaid fel soseri. 'Edrycha ar honna!'

Roedd Owen wedi bod yn ceisio peidio â llygadu 'merched y nos' byth ers iddynt gyrraedd Amsterdam. Safai rhai fel doliau heb ddiddordeb mewn dim yn ffenestri'r siopau rhyw, wedi'u gwisgo mewn dillad isaf llachar, yn ceisio denu cwsmeriaid i'w prynu am awr neu ddwy. Bwrodd olwg gyflym ar y ferch yn y ffenestr – roedd hi'n wahanol iawn i'r puteiniaid roedd wedi eu gweld eisoes. Edrychai hon yn ifanc a diniwed, heb yr olwg farwaidd yn ei llygaid oedd yn gyffredin i'w chydweithwyr.

'Beth amdani?' awgrymodd Huw'n feddwol gan bwnio Owen yn ei asennau. '*When in Rome*, boio . . .'

'Ti ddim o ddifri? Ti isie i ni dalu amdano fe? Gyda phutain?'

'Cadwa dy laish lawr!' hisiodd Huw'n felodramatig. 'Smo ti'n gw'bod pwy sy'n gwrando!'

'Smo fe'n anghyfreithlon fan hyn, so be 'di'r ots mod i'n siarad amdano fe? Be, ti'n meddwl bod dy fam a dy dad yn gwrando arnon ni rownd y gornel?'

'Ti byth yn gw'bod pwy sy o gwmpas!' Cyffyrddodd flaen ei drwyn â'i fys.

'Allwn ni jyst fynd 'nôl i'r Botel, Huw. Ni wedi meddwi, a dwi ddim isie dala VD gan *prozzie*.'

'Allet ti iwso condom, ti'n gw'bod!'

'Smo fi jyst yn teimlo'n iawn am y peth, ocê?'

Parhaodd llygaid meddw Owen i ddychwelyd at y ferch ddiniwed yr olwg yn y ffenest. Daliodd ei llygaid a gwenodd hi'n swil arno. Oedd, roedd hi'n eithriadol o ddel gyda'i gwallt melyn hir a'i chorff brown siapus. Doedd e a Huw heb gael fawr o lwc gyda'r merched yno hyd yn hyn. Roedd y rhan fwyaf o ferched pert Amsterdam i'w gweld yn seiclo law yn llaw â'u cariadon cŵl, a doedd e heb gael rhyw ers achau. Teimlai fod rhywbeth eitha rhyfedd am gael rhyw gyda merch broffesiynol oedd yn gwybod yn union sut i roi pleser i ddyn.

Sylwodd Huw fod Owen yn oedi a dywedodd yn gyflym, 'Gronda, dim ond 'bach o hwyl fydd e, ac mae e'n ddigon diogel, neu fydde fe ddim yn *legit.* Ewn ni mewn i weld faint yw'r gost am awren fach a wedyn, os nad y'n ni'n teimlo'n gyfforddus, ewn ni'n ôl i'r Botel.'

Cyn i Owen allu ei rwystro, agorodd Huw ddrws y siop ryw. Edrychai'r tu mewn yn fwy digalon hyd yn oed na'r tu allan, gyda'r muriau hynafol wedi'u peintio'n felyn yn wreiddiol ond bellach ymdebygai i liw nicotîn. Yn y cyntedd safai dynes ganol-oed mewn ffrog gwta goch a'i gwallt wedi'i liwio'n berocseid gwyn y tu ôl i gownter. Tu ôl iddi roedd hen set deledu'n chwarae ffilm borno rad o'r wythdegau. Roedd ei hwyneb yn wyneb yn gwbl ddiemosiwn wrth i Huw ei chyfarch yn boléit, 'Excuse me, how much for one hour?'

Atebodd y fenyw ddim, ond yn hytrach gwthiodd 'fwydlen' o'u blaenau. Ar y fwydlen roedd dewis o ystod eang o ferched – gyda llun a chost pob un wrth eu henwau. Yffach, meddyliodd Owen wrth edrych am bris y ferch brydferth yn y ffenest; yn ôl y fwydlen, ei henw oedd Celeste, roedd hi'n un ar hugain, yn 34, 26, 36 ac yn 5 troedfedd 4 modfedd. Blonden naturiol yn gwneud popeth ond *S&M*, roedd e'n falch o'i ddarllen.

Roedd Huw yn ei seithfed nef yn edrych ar luniau'r merched, a dewisodd Ebony – merch groenddu a ymdebygai i Diana Ross yn ei hieuenctid. Roedd Ebony yn dair ar hugain, 36, 28, 36 ac yn 5 troedfedd 6 modfedd, roedd hi'n gwneud pob dim, yn ôl y fwydlen.

'Cant ac ugen Ewro am awr! Ma hwnna'n agos i gan punt! Byddet ti'n meddwl y bydde'r siop 'ma'n lle mwy moethus gyda'r arian ma nhw'n ei godi!'

'Isht w! Ma hon yn edrych yn ddiamynedd. Wyt ti isie Celeste, 'te?'

'Sa i'n gw'bod,' dywedodd Owen, ei galon yn curo fel gordd.

Trodd Huw yn ôl at y Madam a dweud fel petai e'n archebu dwy stecen mewn bwyty, 'I will have Ebony please and my friend will have Celeste, for one hour only.'

Trodd at Owen, 'Smo ni isie unrhyw goc-yps a bod nhw'n codi mwy na 120 Ewro arnon ni.'

'Pay now,' cyfarthodd y fenyw'n swta.

'I have cash.' Ymbalfalodd Huw yn ei waled. Chwiliodd Owen am ei waled yntau, ond cofiodd gyda rhyddhad nad oedd ganddo ddigon o arian i dalu am Celeste wedi'r cwbwl.

'Sdim digon o arian gyda fi.'

'Blydi hel, Owen, wedes i wrthot ti am ddod â digon o arian! O's carden 'da ti?'

'Yn y gwesty, argyfwng yn unig, ti'n gwybod 'ny.'

'Lwcus bod gen i garden,' dywedodd Huw yn dadol.

'Do you take Visa?' holodd Huw'r fenyw'n obeithiol.

'Cash only.'

'Cer di, Huw, sdim ots 'da fi, wir.'

'Na, na, mae'n rhaid i ni'n dou neud e. Sa i moyn i ti bregethu i fi bore fory.'

'You go to cashpoint.' Roedd y fenyw'n amlwg yn colli'i hamynedd gyda'r ddau ohonyn nhw.

'I'll go with him,' dywedodd Huw.

'No, you go to Ebony and Celeste can go with your friend.'

'Cymer 'y ngherdyn i, ti'n gwbod y rhif. Wela i ti wedyn de, boio!' Winciodd Huw ar Owen wrth i'r Madam ei dywys yn ddi-wên i fyny'r grisiau pren hynafol y tu ôl i'r cownter.

Safodd Owen fel lembo ger y cownter nes i'r Madam ddychwelyd rai munudau'n ddiweddarach. Aeth i mewn i ystafell arall tu cefn i'r cownter ac ymhen ychydig eiliadau dilynodd Celeste hi'n ufudd. Y tu ôl i Celeste, safai dyn mawr cyhyrog yn ei dridegau cynnar mewn siwt ddu drwsiadus gyda *crew-cut* melyn miniog a wyneb fel Russell Crowe. 'This is Anthony,' meddai Madam.

Teimlai Owen ei fod mewn breuddwyd swrreal yn dilyn Anthony a Celeste trwy strydoedd cul Amsterdam fel oen coll. Roedd y ddinas yn ferw o bobl ac arogleuon cwrw, bwyd a hen bersawr yn gymysg yn yr awyr. Dechreuodd Owen deimlo'n sâl a simsanai braidd wrth geisio cadw i fyny â Celeste ac Anthony. Sylwodd Celeste ei fod e'n cael trafferth ac arafodd i'w helpu. Rhoddodd law ar ei fraich a holi, 'You okay? You sick?'

'Too much lager!' gwenodd Owen arni'n wan.

Doedd Anthony heb yngan gair, dim ond cadw golwg wyliadwrus ar y ddau. Mae'n rhaid mai'r *muscle* oedd Anthony, yn sicrhau nad oedd y pyntars yn rhedeg i ffwrdd heb dalu nac yn rhoi trwbwl i'r merched. O'r diwedd, cyrhaeddwyd y *cashpoint.* Ymbalfalodd Owen am gerdyn Huw a thynnu 120 Ewro allan o'i gyfrif. Oedd e'n wallgo? Ond roedd coesau hir ac wyneb prydferth Celeste yn deffro'i *libido* i'r fath raddau fel nad oedd e eisiau meddwl am ddim byd arall ond mynd i'r afael â hi. Rhoddodd yr arian i Anthony, fel bachgen ufudd, a gwenodd yn gam arno cyn i hwnnw'u dywys ef a Celeste yn ôl i'r *brothel.*

'Room 10, Celeste. One hour,' dywedodd y Madam wth y ferch.

Nodiodd Celeste ei phen a rhoi ei llaw i Owen i'w arwain i fyny'r grisiau. Ni ddywedodd y ddau 'run gair wrth iddynt gerdded am hydoedd i lawr y coridor hir. Pa stafell oedd Huw ynddi, tybed, a beth oedd e ac Ebony'n ei wneud nawr? Gyda'r holl Amstel yn sloshian yn ei gylla, amheuai Owen yn fawr a fyddai Huw'n gallu gwneud fawr ddim gyda'r butain brofiadol.

'In here,' nodiodd Celeste yn dawel. Ystafell gyffredin oedd hi, tebyg i un mewn gwesty rhad. Roedd yno wely dwbwl gyda chynfasau amryliw glân ond hynafol yr olwg arno yng nghanol yr ystafell, hen gwpwrdd dillad pren ar y mur ger y ffenestr a chadair freichiau blaen bren a wrth ei ochr.

'You relax,' meddai Celeste yn dyner gan ei wthio ar y gwely. Syrthiodd Owen yn swp ar y gwely a dechreuodd Celeste stripio o'i flaen. Symudodd ei lygaid meddw dros ei bronnau bach noeth a'i chorff ystwyth cyhyrog, ond sylwodd bod ei llygaid yn gwbwl wag a di-emosiwn. Roedd fel petai ei phen hi yn rhywle hollol wahanol, nad oedd ei henaid hi yn yr ystafell gyda fe o gwbwl, dim ond ei chorff. Teimlodd y codiad yn ei drowsus yn diflannu wrth sylweddoli nad oedd dim byd rhywiol ynghylch hyn. Teimlai fel hen byntar brwnt.

'Celeste . . . I'm sorry . . .'

'What's wrong? I'm not good enough?'

'You're stunning, beautiful. I'm very drunk and I would never have done this if I was sober. I want to go back to my hotel.'

'You want to talk and cuddle instead?' holodd Celeste yn obeithol, yn amlwg wedi arfer a'i chleientiaid yn cael traed oer.

'No, thanks, I'll go back downstairs and wait for my friend.'

Ac am ryw reswm rhyfedd, ysgydwodd ei llaw wrth adael. 'Ffŵl!' ceryddodd ei hun a Celeste yn sbïo'n rhyfedd arno'n baglu allan o'r ystafell. Cant ac ugain Ewro! Ble roedd ei synnwyr? Pam wnaeth e wrando ar Huw? A ble'r oedd Huw? Dychmygodd Owen ei ffrind yn cael ei chwipio'n ddidrugaredd gyda'i geilliau mewn feis gan Ebony dywyll. Dychwelodd at gownter y Madam a'i gynffon rhwng ei goesau.

'Finished?' Edrychodd y Madam arno'n syn.

'Yes, thank you. I'll wait for my friend if that's OK.'

'He has another ten minutes.' Trodd hi'n ôl i edrych ar ei gwaith papur.

Llusgodd y munudau heibio'n boenus o araf. Ond o'r diwedd, daeth Huw i lawr y grisiau'n wên o glust i glust.

'Allwn ni fynd nawr, plîs?'

'Olreit, paid â hastu. Shwd aeth hi 'te? O'dd Celeste yn dda? Wnest ti ddod yn rhy glou, neu be?' holodd Huw'n chwilfrydig.

Sylwodd Owen fod Celeste yn ôl yn ei dillad isaf yn ffenestr y siop ryw. Gwenodd arni wrth iddo fynd heibio a gwenodd hithau'n ôl arno.

'Nethon ni ddim byd.'

'E?'

'O'dd e jyst ddim yn teimlo'n iawn."

'Wel, 'na wast o 120 Ewro ontefe?' wfftiodd Huw. 'Ges i amser ffantastig; o'dd yr Ebony 'na, wel, 'na ti fenyw. Ges i dri *orgasm* mewn awr! Anhygoel! O'dd coesau fel balerina 'da hi, a bronnau fel . . .'

'Sa i moyn clywed rhagor.'

Ond doedd Huw ddim yn gwrando, ac aeth ymlaen i ddisgrifio'i anturiaethau. 'Cyn i ni ddechre, gwnaeth y Madam i mi aros am chydig mewn *jacuzzi* gyda chwpwl o ddynion eraill. O'dd hwnna 'bach yn od. Wnes i roi nhrwyn o dan y dŵr i gael teimlo'r bybls ar 'y ngwyneb i ond wedyn gofies i fod ceilliau lot o fois eraill wedi bod yn y *jacuzzi* 'na 'fyd, so godes i mhen yn reit sydyn . . .'

Roedd Huw yn amlwg yn dal i fod yn feddw gaib gan ei fod bron â syrthio sawl tro ar hyd y ffordd at y gwesty, ond teimlai Owen yn hollol sobor erbyn hynny.

'Dere mewn er mwyn dyn, a ca' dy geg, 'nei di!' Syrthiodd Huw i mewn i'r ystafell a baglu'n drwsgl dros y gwely.

'Ti'n rhy biwritanaidd o lawer, Owen bach,' mwmiodd Huw'n gysglyd. 'Ni yn Ewrop nawr, ddim yn Ely!'

'Sdim lot o wahaniaeth,' dywedodd Owen yn dawel ond roedd Huw'n rhochian wrth ei ochr yn barod. Gwyliodd oleuadau amryliw'r ddinas yn wincio arno drwy ffenest y gwesty, ac yn raddol bach syrthiodd yntau i drymgwsg anniddig.

'Ffyc! Ffyc! Ffyc!' Rhuthrodd Huw fel corwynt i mewn i'r ystafell fyw yn ei bants ryw bythefnos yn ddiweddarach. ''Co! Beth yw'r rhain?' gofynnodd.

Daliai ei bants yn agored, gan wingo mewn ofn, a gwthio'i biwbs i wyneb Owen.

'Huw, achan! Wy newydd gael swper!' Gwthiodd Owen e i ffwrdd gan grychu'i drwyn.

'Drycha ar 'y mhiwbs i! Ma rhywbeth mewn 'na! Rhywbeth byw . . . mae e'n cosi'n uffernol!'

'Hei, Heff! Mae'n edrych yn debyg bod *crabs* gen ti!'

'Be? Sut ddiawl?'

'Ebony?' awgrymodd Owen, yn mwŷnhau gweld panig ei ffrind.

'O shit! Be wna i?' griddfanodd Huw a chrafu'i biwbs fel mwnci.

'Cer at y doctor a gofyn am stwff. Gei di wared ohonyn nhw mewn winciad. Eniwê, o'n i'n meddwl bo ti am iwso *condom*?'

'Sa i'n cofio, odw i? O'n i'n meddwl mod i, ond o'n i'n *pissed* gach . . .'

'Edrycha arni fel hyn! Ddest ti adre gyda *souvenir* bach annisgwyl!' Chwarddodd Owen wrth iddo setlo i wylio *Big Brother*.

Pennod 8

Mari: Mr Toiboi
2007

'Dim ond dau ddeg pedwar yw e, Mari!' ebychodd Sara wrth iddyn nhw rannu potel o win a DVD yn y fflat un noson.

'Ie, ie, dwi'n gw'bod hynny! Ond dwi ffaelu stopo meddwl amdano fe.'

'Ac mae'n gweithio gyda ti?'

'Ac mae'r wobr am *statin' the bleedin' obvious* yn mynd i . . .' meddai Mari'n swta.

'Wy jyst ddim isie gweld ti'n gwneud ffyc-up arall dyna i gyd. *Never shit on your own doorstep* . . . A ti sy'n treino'r boi 'ma, i fod.'

'Smo fe fel tasen i'n rili hen, ti'n gw'bod. 'Co Madonna a Guy Ritchie, Richard a Judy, ma deng mlynedd rhyngddyn nhw ac ma nhw'n hapus! Ac ma partneriaid Joan Collins a Barbara Windsor ddeugain mlynedd yn iau na nhw!'

'Ych a fi!' Crychodd Sara ei thrwyn. 'Afiach! Dychmyga bod yn gwely 'da boi ifanc yn dy reido di a thithe'n stopio fe i roi mwy o lŵb ymlaen a chodi dy hen dits sagi o dy stumog!'

'Sara! *Ti* sy'n afiach! Smo fi'n tynnu mhensiwn 'to! Ac mae'n amlwg bod e'n ffansïo fi!'

'Pwy ti'n meddwl wyt ti, Mrs Robinson?'

'Ha! Smo fi mor cŵl â Mrs Robinson. Dwi'n ormod o gachgi i ofyn e mas hyd yn oed.'

'O'n i wastad yn meddwl byddet ti ac Owen yn bennu lan gyda'ch gilydd,' ochneidiodd Sara'n ffug rhamantus.

'Ni'n ormod o ffrindie nawr, ac eniwê do'dd dim diddordeb 'da fe mewn mynd â'r peth ymhellach, os ti'n cofio. Well 'da fe *blondes, air-heads,* medde fe. Gafodd e ddigon o gyfle i ofyn fi mas ta p'un 'ny.'

'Wel, os ti'n rili rili'n lico'r Jac yma, cer amdani 'te. Ond bydda'n ofalus rhag ofn i ti wneud ffŵl o dy hunan. Ti'n gw'bod fel ma clecs yn lledu mewn swyddfa. Smo ti isie bod yn destun sbort dros y *water cooler.*'

'Olreit, Mam!'

Bu Mari'n meddwl am yr holl anfanteision yn gysylltiedig â dechrau perthynas gyda Jac er pan ddechreuodd e weithio yn ei swyddfa, a dyna oedd wedi rhwystro hi rhag gofyn am ddêt. A dweud y gwir, roedd yr *URST* (yr *unresolved sexual tension*) a deimlai pan fyddai'n ciledrych arno'n gweithio wrth ei ddesg gyferbyn â'i desg hithau'n rhy gyffrous a blasus i'w beryglu â realiti a'r posibilrwydd o gael ei gwrthod petai'n mentro'i wahodd ar ddêt.

Cofiai'r diwrnod cyntaf y gwelodd hi fe – gwyddai'n syth ei bod hi'n ei ffansïo. Roedd e'n nodweddiadol o'i theip hi – tal, tua chwe troedfedd tair modfedd, cyhyrog, tywyll. Perffaith! Daeth Jac i weithio i Gwmni Teledu Gwalia ar gwrs hyfforddi Mentro. Pan ddywedodd y bòs wrth Mari dridiau cyn i Jac gychwyn gyda Gwalia y byddai'n rhaid iddi hi ei hyfforddi, doedd fawr o amynedd ganddi. Nid ei syniad hi o hwyl oedd gwarchod boi newyddraddedig oedd yn meddwl ei fod e'n dipyn o Spielberg, ond gwyddai nad oedd dewis ganddi. Ac roedd y bòs yn eiddgar i'r ddau gydweithio'n agos ar y prosiectau roedd Mari wrthi'n eu datblygu fel rhyw iâr fatri'n cynhyrchu wyau, ar gyfer rownd gomisiynu nesa'r darlledwyr, er mwyn i'r recriwt newydd ddod i ddeall pethau'n gyflym.

Ond sylweddolodd Mari, wrth iddi ddod yn fwy cyfarwydd â Jac, ei fod e'n wahanol i'r dynion ifanc arferol fyddai'n swagro o gwmpas Gwalia ar brofiad gwaith neu ar gytundeb llawrydd fel rynars. Roedd Jac yn glyfar, wedi ennill gradd dosbarth cyntaf Astudiaethau mewn Ffilm; roedd yn artistig iawn, yn arlunydd heb ei ail, ac yn meddu ar synnwyr digrifwch sych a ffraeth. Ac wrth gwrs, roedd y ffaith fod ganddo wyneb ciwt, ei fod e'n ifanc, yn rili secsi a heb gymhlethdodau anffodus yn ei orffennol ddim yn anfantais chwaith!

Setlodd y ddau i mewn i gêm o fflyrtio ar e-bost yn eitha cynnar yn eu perthynas, ac ar adegau byddent yn anfon cerddi bach chwareus at ei gilydd. Doedd Mari heb ymddwyn fel hyn ers ei hieuenctid, pan arferai sgwennu rwtsh mydryddol am ei chrysh cyntaf, James Rees.

Ceisiodd Mari gadw'r berthynas yn un broffesiynol, a hyd yn hyn doedden nhw heb fod mas yn gymdeithasol o gwbwl. Ond nos fory efallai byddai cyfle iddi ei rwydo gan eu bod fel criw cynhyrchu'n mynd ar un o'r teithiau annioddefol 'adeiladu tîm' roedd y penaethiaid yn eu gorfodi arnynt o bryd i'w gilydd, i gryfhau ethos cydweithio'r cwmni. Y tro hwn, roeddent yn mynd ar daith ar long y *Waverley* o Benarth ac wedyn mlaen i gael pryd o fwyd mewn gwesty crand yn y Marina. Hwylio o Benarth i Weston a 'nôl – syniad eitha dibwrpas ym marn Mari. Diolch i Dduw fod yna alcohol i'w brynu ym mar y llong, neu byddai wedi bod yn brofiad anioddefol – *Voyage of the Damned* go iawn.

Atyniad arall i'r trip oedd bod Jac wedi danfon e-bost drygionus ati:

Ti'n ffansïo chwarae chydig o Titanic gyda fi fory ar y Waverley?

Ydw siŵr. Dere â dy bensiliau a dy lyfr sgetsio, a falle wnaf i fodelu i ti. Er nad oes gen i loced.

Oedd hi'n bod yn rhy eofn yn sôn am ail-greu'r olygfa yn y ffilm lle'r oedd Leonardo Di Caprio'n tynnu llun o Kate Winslet yn noeth? Gwridodd hyd fôn ei chlustiau wrth ei weld yn darllen y neges, ond teimlai ryddhad wrth weld wên fach slei yn chwarae ar ei wyneb. Eiliadau'n ddiweddarach daeth ei ateb yn ôl:

Bydd fy mhensil yn barod!

O Dduw, roedd y fflyrtio'n debyg iawn i ffilm *Carry On*! Gwenodd hithau'n ôl arno gan ffugio gweithio. Mae'n rhaid ei fod yn ei ffansïo, neu oedd e jyst yn ei defnyddio hi er mwyn iddi ei helpu gyda'i yrfa? Na, doedd e ddim y teip gor-uchelgeisiol, meddyliodd. Doedd e ddim yn siŵr a oedd e eisiau gyrfa yn y cyfryngau gan ei fod e fel hithau'n gweld y broses o geisio bodloni Comisiynwyr anwybodus, pwerus heb ronyn o gariad at gelfyddyd y diwylliant teledu yn fwrn.

Cymerodd Mari dipyn mwy o sylw o'i hymddangosiad ar ddiwrnod trip y *Waverley*. Holodd Sara'n frysiog ben bore.

'Beth ddylwn i wisgo? Ffrog flodeuog – ffrympi ond soffistigedig? Neu grys-T a sgert fer – chwareus ac anaeddfed?'

'Beth am ffrympi *ac* anaeddfed? Cyfuniad perffaith.' atebodd Sara gan ddyfynnu o gyfres *Spaced*. Rholiodd ei llygaid wrth wylio Mari'n lluchio'i dillad o gwmpas yn wyllt.

'Ti ddim yn help o gwbwl, Sara!' ebychodd Mari'n ddiamynedd a ladro pâr o deits yn ei brys wrth eu tynnu am ei choesau.

'Gwisga'r ffrog flodeuog. Dwyt ti ddim isie edrych fel *mutton dressed as lamb*.'

'Ti'n siŵr?' Syllodd Mari yn ansicr ar y ffrog.

'Smo ti isie trio'n rhy galed.'

'Ocê, ocê! Hec! Dwi'n hwyr fel mae hi!' A rhuthrodd Mari'n ôl i'w hystafell wely i orffen ymbincio.

'Bydda'n ofalus!' gwaeddodd Sara ar ei hôl. 'Rhag ofn i'r llong suddo!'

Er mawr syndod i Mari, roedd y trip ar long stemar y *Waverley* yn eitha pleserus ac roedd hi'n mwynhau. Roedd pawb o'r criw cynhyrchu, yn cynnwys y ddau fòs oedrannus, yn benderfynol o fwynhau arlwy'r bar, ac erbyn iddynt dreulio awr ar y tonnau anwastad ac yfed sawl gwydraid o *gin* roedd yr awyrgylch yn ysgafn a hwyliog. Eisteddai Jac wrth ei hochr yn edrych yn hynod ddeniadol yn ei jîns a'i grys du. Roedd wedi cael torri'i wallt ac edrychai'n iau nag erioed. Oedd hi'n byrfyrt yn ei ffansïo cymaint? Ond beth oedd yr ots, meddyliodd. Roedd hi'n dal i fod yn weddol ifanc ac yn eitha atyniadol, ac roedd yn rhaid mentro mewn bywyd weithiau. A dyma oedd ei chyfle euraidd i gael gafael ar Jac. Daeth Owen tuag atynt i darfu ar yr awyrgylch egin-ramantaidd. Edrychai yntau'n eitha ciwt hefyd yn ei grys llwyd – teimlai Mari'n reit tipsi ar y tonnau.

'Jac, ma Harriet isie siarad gyda ti.' Gwenodd Owen yn gyfeillgar.

'O *shit*! Be ma honna moyn nawr?'

'Meddwl ei bod hi isie tsieco dy ddewisiadau di o'r fwydlen ar gyfer y pryd wedyn. Watsha na neith hi dy ddal di mewn sgwrs arteithiol am ei blydi plant hi!'

Gwyddai Mari na fyddai Jac yn treulio gronyn mwy o amser yng nghwmni Harriet nag oedd yn gwbl angenrheidiol. Roedd Harriet yn un o'r mamau erchyll hynny oedd yn meddwl bod gan bawb arall gymaint o ddiddordeb yng ngweithgareddau ei phlant diflas ag oedd ganddi hithau. Rhannodd Owen a Mari sawl jôc am Harriet a'i hobsesiwn am ei phlant, gan dynnu coes y byddai'r ddwy fechan yn tyfu i fyny i fod yn *crack-addicts* neu buteiniaid a dychmygu gweld wyneb Harriet!

Eisteddodd Owen wrth ei hochr gan roi gwydraid o *gin* iddi.

'G an' T bach, Mari?'

'Jyst y peth, diolch.'

'So shwt ti'n joio'r llong 'te?'

'Mae'n lot gwell na'r disgwyl.' Gwenodd Mari gan edrych draw at Jac, oedd yn amlwg yn brwydro i ddianc o grafangau Harriet.

'Diolch byth fod 'na alcohol yma . . . Shwt ma dy . . . fywyd carwriaethol di y dyddiau hyn?'

'Pam ti'n gofyn?' holodd Mari. Yna sylweddolodd, mae'n rhaid bod Owen wedi sylwi arni'n llygadu Jac ac os oedd Owen wedi sylwi, yna roedd pawb yn y swyddfa'n gwybod gan nad oedd Owen yn serennu ar lwyfan clecs y swyddfa.

'Drycha, o'n i'n meddwl gofyn rhywbeth i ti . . . Wy 'di meddwl gofyn ers tro . . .'

'Wy'n gwybod beth ti'n mynd i ddweud, Owen.'

'Wyt ti?'

'Mae Jac yn rhy ifanc i fi, a beth bynnag, wy'n gweithio gyda fe. Wy'n gwybod hynny, ond dwi'n rili licio fe!' Nawr, roedd ei chyfrinach mas. Y blincin *gin* oedd ar fai; fyddai hi byth wedi dweud y fath beth twp oni bai iddi gael tri dwbwl yn barod.

Dywedodd Owen yn dawel, 'O'n i'n meddwl dy fod ti. Ond smo ti'n meddwl ei fod e'n rhy ifanc i ti? A beth sy 'da chi'n gyffredin go iawn heblaw am waith?'

Blydi Owen! Roedd e'n meddwl ei bod hi'n rhy hen i Jac! Pwy fusnes oedd e iddo fe? Jyst achos nad oedd e'n ei ffansïo hi, doedd hynny ddim yn golygu nad oedd hawl 'da Jac i'w ffansïo hi, oedd e?

'Mae e'n rili aeddfed am ei oed, yn fwy aeddfed na llawer o fois dwi'n nabod sy dipyn hŷn na fe, *actually*! Ac mae e'n alluog iawn.'

'A ti'n ffansïo Jac achos ei frêns?' Rholiodd Owen ei lygaid yn ddirmygus.

'O leia mae e'n eu defnyddio nhw, yn wahanol i rai! A beth bynnag, dyw hyn yn ddim o dy fusnes di! Wy'n mynd nawr, Owen, cyn i ni rili gwmpo mas!'

Cododd Mari ar ei thraed a cherdded tuag at Jac heb edrych 'nôl ar Owen.

Doedd hi ddim isie cweryla gydag Owen, roedd e'n foi iawn, yn ffrind. Falle ei fod e jyst yn ceisio helpu, ond doedd hi ddim eisiau i neb ddinistrio'i chynlluniau hi gyda Jac.

'Haia Harriet. Wy jyst yn dwyn Jac am funud, angen tân ar fy sigarét.' Tynnodd Mari ar law Jac a'i lusgo o grafangau Harriet.

'Diolch byth! O'dd e fel bod yn stỳc mewn gwe corryn. O'dd hi ddim isie siarad am y fwydlen wedi'r cwbl!' Ochneidiodd Jac mewn rhyddhad.

'Credu fod Owen yn tynnu dy goes di. Dere draw fan hyn, isie sgwrs fach breifat.' Paratodd Mari ei hun ar gyfer bod yn gyfrifol.

Roedd y *gins* wedi rhoi dewrder iddi, a gwyddai y byddai'n rhaid iddi fentro nawr rhag ofn i Owen gael gair gyda Jac am y ffaith ei bod hi'n rhy hen iddo fe.

'Felly Jac, ti'n joio?' Ceisiodd Mari fod ar ei mwyaf fflyrti tra oedd yn sipian ei diod yn awgrymog.

'Joio mas draw, nawr mod i gyda ti.' Gwenodd Jac yn gynnes, a thoddodd Mari.

'Os ti'n trio dod mas o sgrifennu'r driniaeth 'na ar fandiau pres y cymoedd, anghofia fe!' meddai Mari gan roi ei llaw ar ei fraich. Roedd ei gyhyrau mor gadarn . . .

'Nadw! Dwi jyst yn dweud mod i'n joio dy gwmni di, dyna i gyd.'

Edrychodd Mari i'w lygaid ac anadlu'n ddwfn.

Oherwydd bod y ddau'n eitha tipsi ac wedi bod yn fflyrtian ers misoedd, teimlai'n gwbl naturiol pan symudodd Jac tuag ati a'i chusanu. Parhaodd y gusan am eiliad dragwyddol; cusan lesmeiriol, drydanol, oedd yn saethu bollten chwant trwy gorff Mari. Torrodd Mari'r gusan yn anfodlon, yn dyheu am iddi barhau, yn newynu am ei wefusau eto. 'Drycha Jac, mae'n rhaid i ni fod yn ofalus rhag ofn i rywun o'r gwaith ein gweld ni,' sibrydodd.

Roedd gweddill criw Gwalia yn cerdded yn feddwol o gwmpas y llong, ond gallai unrhyw un ohonynt neu Owen hyd yn oed, ddod o hyd iddynt ar unrhyw eiliad. Doedd Mari ddim eisiau i unrhyw chwerthin a thynnu coes amharu ar yr awyrgylch ramantaidd rhyngddi hi a Jac.

'Be, ti'n teimlo cywilydd ohona i?' Roedd y siom yn amlwg yn wyneb Jac.

Gafaelodd Mari yn dynn yn ei law. 'Na, na dim o gwbwl! *God,* Jac! Wy wedi dy ffansïo di ers ache. Ond sa i isie iddyn nhw neud sbri ar ein pennau ni achos mod i'n hŷn na ti. Fi yw dy fòs di mewn ffordd.'

'Fi'n gw'bod, secsi on'd yw e? Ti ddim ond chydig yn hŷn na fi . . . Ti'n lyfli, ti'n gw'bod.'

Cusanodd y ddau eto. Clymodd Mari ei breichiau o gwmpas ei wddf ac ildio'n llwyr i'r gusan. Roedd hyn yn berffaith, roedd hi'n teimlo chwant – chwant pur tuag at ddyn ei ffantasïau . . .

'Beth am dy waith di?' holodd Sara pan adroddodd Mari'r stori wrthi'r diwrnod canlynol, a'i llygaid yn disgleirio. Treuliodd y noson gyda Jac ac roedd ei stamina a'i allu yn y gwely wedi ei llorio'n llwyr.

'Ry'n ni'n mynd i fod yn gwbwl broffesiynol yn y gwaith.' Daeth y geiriau allan o geg Mari fel mater o ffaith, er ei bod hi'n gwybod yn iawn y bydden nhw'n e-bostio sylwadau budr at ei gilydd yn ddi-stop wrth ffugio gweithio. 'Ma'r ddau ohonon ni'n oedolion, yn sengl, a gallwn ni wneud beth ni'n moyn. Alli di ddim bod yn hapus drosto i am unwaith?'

'Wrth gwrs mod i! Mae'n amlwg yn dy wneud di'n hapus . . . mor belled. Os yw e'n ddigon da i Richard a Judy . . .'

'Yn gwmws!'

Dros y misoedd nesaf, tyfodd Jac a hithau'n agosach. Roedd pawb yn y gwaith yn gwybod am y berthynas, ond heblaw am ambell sylw pryfoclyd o du Owen, doedd neb wedi yngan gair croes. Gwnâi Mari'n siŵr eu bod yn cadw'n broffesiynol yn y gwaith, ac roedd Jac yn parchu hynny. Doedd hi ddim am i neb eu chyhuddo o diffyg proffesiynoldeb.

Cyfarfu Mari â nifer o ffrindiau Jac. Roedden nhw'n griw da yn y bôn, er braidd yn wyllt a meddwol – wel, dim ond yn eu hugeiniau cynnar oedden nhw. Ar y cychwyn roedd Mari wrth ei bodd yn mynychu gìgs gyda nhw, yn yfed *shots* fel merch o'i cho ac yn aros ar ei thraed hyd berfeddion nos yn fflat Jac a'i fêts, Trig a Sherlock, yn malu cach a smygu spliffs. Nes cyrraedd un noson, pan sylweddolodd faint y gagendor oedd rhwng eu hoed wrth i Jac geisio'i pherswadio i ddod allan i gìg arall, y drydedd mewn wythnos.

'Dere mla'n, Mari. Byddi di'n rili licio'r band 'ma, ma nhw'n debyg i Nirvana ond yn fwy cŵl . . .'

'Mwy cŵl na Nirvana? Dyw hynny ddim yn bosib!' Rhoddodd Mari ei thraed lan ar y soffa.

'Come on, Mam-gu. Ti'n dangos dy oedran nawr!'

A chyda'r frawddeg honno, sylweddolodd Mari gyda siom fod yna wahaniaeth mawr rhwng eu hoed. Llond llaw o flynyddoedd yn unig, efallai, ond cenhedlaeth hollol wahanol. Tra oedd hi'n mwynhau gwrando ar recordiau Nirvana yn y Coleg, roedd Jac dal i wisgo cewynnau ar y pryd . . . wel bron â bod. Dechreuodd deimlo'n anghyfforddus; er nad oedd hi eisiau plant eto, roedd yr hen gloc yn tician. Doedd hi ddim isie aros yn rhy hir rhag ofn i'w hwyau fynd *off*, ac roedd rhywun yn clywed gymaint o straeon erchyll am ferched di-blant. Doedd hi chwaith ddim isie bod yn y sefyllfa lle'r oedd dieithriaid busneslyd yn holi ai hi oedd nain ei hepil anffodus.

Doedd Mari ddim wir am orffen gyda Jac, jyst arafu pethe rhag iddi syrthio'n ormodol amdano. Ond fyddai'r gagendor oed oedd rhyngddynt byth yn newid, a gwaethygu fyddai'r sefyllfa wrth iddynt heneiddio, meddyliodd. Rhoddodd gusan ysgafn ar ei wefus, 'Cer di heno. Af i adre i wylio DVDs gyda Sara. Wy'n rhy hen i fynd mas bob nos, sdim digon o stamina 'da fi.'

'Ma digon o stamina gyda ti. Mwy na digon . . .'

'Gwranda, Jac. Dwi'n rili joio'n "trefniant" ni, ond dwi ddim isie dim byd difrifol gyda ti, ocê? A dwi'n gw'bod nad wyt ti isie bod yn ddifrifol gyda fi. 'Bach o sbort yw be sy 'da ni; ry'n ni'n dod mlaen yn grêt ac mae'r rhyw yn anhygoel. Ond bydda i isie setlo lawr cyn bo hir.'

'Ti'n moyn gorffen pethe?'

'Na, dwi dal isie dy weld ti. Ond dwi ddim isie mynd i mewn i berthynas fawr ddifrifol gyda ti achos y gwahaniaeth oedran sy rhyngddon ni.'

'Felly, *sex and no strings*?' Goleuodd wyneb Jac.

'Yn gwmws! Ac os ffeindiwn ni rywun 'run oed, a bod y naill neu'r llall isie perthynas ddifrifol gyda nhw, wel, gallwn ni fynd 'nôl i fod yn ffrindie da.'

'Ti'n anhygoel, Mari! Dyna'r gorau o ddau fyd!'

'Dwi'n mor falch bod ti'n gweld hynny.'

Roedd Jac yn deall yn iawn. Ond wedyn, roedden nhw wastad wedi bod ar yr un donfedd.

'O's amser 'da ti am 'bach o sbort 'da hen fenyw cyn bod ti'n mynd mas?' Gafaelodd Mari yn ei gopish yn benderfynol. Yffach, roedd hi fel Samantha yn *Sex and the City*, wel, heb y dillad *designer,* y Rolex, a'r *botox*.

'O's digon o egni gyda ti?'

'Hei, oes. Mwy na digon!'

Wrth i Mari fwynhau sesiwn rywiol danbaid arall gyda Jac, gwenodd. Roedd hi'n fenyw annibynnol oedd yn gwybod beth oedd hi eisiau mewn bywyd ac wedi mynnu ei gael. Ar ben hynny, am unwaith, doedd hi heb dorri'i chalon dros ddyn chwaith.

Owen: Miss-têc
2007

'Os mai ar gwrs hyfforddi ma'r boi, fydd e'n hel ei bac mewn cwpwl o fisoedd, yn bydd e?' oedd ateb Huw un noson wrth i Owen gwyno am y canfed tro am y gwcw yn nyth y gwaith.

'Fel arfer, ti'n iawn. Ond achos ei fod e mor ffacin wych, ma'r bosys wedi cynnig cytundeb iddo fe fel ymchwilydd yn barod! Bron ar yr un lefel â fi – a dwi wedi bod yno'n hirach na fe, blydi embryo smỳg!'

'Allet ti wastad drio 'bach o *sabotage,* fydde neb yn gw'bod.'

Crafodd Huw ei ben yn feddylgar. 'Be, setio fe lan yn y gwaith? Na, allen i ddim. Smo fi'n ddigon slei na chlyfar i neud hynny, ac os ffinde Mari mas, wel, dyna ddiwedd ar unrhyw obaith am berthynas wedyn.'

'Mmm, ie . . . Ond . . . oes 'na ddim opsiwn arall fedri di 'i drefnu iddo fe? Merch bert ifanc sy'n gweithio gyda chi – allet ti drefnu rhyw fath o *blind date* rhyngddyn nhw er mwyn iddo fe anghofio am Mari?'

'Na, Mari yw'r unig ferch sengl sy 'na – ma'r lleill naill ai'n rhy hen neu'n rhy briod.'

'Wel, dim ond un dewis sy ar ôl, 'te.'

'Be?'

'Bydd raid i ti neud y symudiad cyntaf cyn bod e'n gwneud. *Survival of the fittest,* fy ffrind bach swil. Ac a bod yn onest, dylet ti fod wedi gwneud hyn ache'n ôl, ymhell cyn bod y Jac 'ma'n dod ar y sîn.'

'Wy'n gw'bod 'ny nawr, *Mr Know-it-all,* ond o'n i wastad yn meddwl fydden i a Mari yn gorffen lan gyda'n gilydd ryw ben, pan fyddai'r amser yn iawn. Mae'n edrych fel tasen i'n rong.'

'Dim *When Harry Met Sally* yw hwn, Owen bach. *He who dares*, ontefe? Ti'n lot rhy ffwrdd-â-hi yn gadael pethau i siawns! Sdim rhyfedd bod ti wastad yn dewis y merched *crap*. Pryd gei di gyfle i ofyn iddi ddod mas?'

'Nid ti yw *ladies man* mwya llwyddiannus y lle chwaith, cofia. Ni'n mynd mas 'da'r gwaith fory. Rhyw *team-bonding bollocks* ma'r bòs yn mynnu ein bod ni'n mynd arno fe.'

'Fydd alcohol yn rhan o'r digwyddiad?'

'Bydd, gobeithio. Ni'n mynd ar blincin llong stemar o Benarth i Weston a 'nôl.'

'Llong. Www . . . cyfle gwych i fod yn rhamantus, *Loveboat* go iawn. Oni bai bod ti'n hwdu 'to!'

'Wy'n iawn ar y môr. Jyst gobeithio bydd e Jac yn dost fel ci!'

'Wel, bydd raid i ti siapo'i. Falle bod y Jac 'ma'n cynllunio rhywbeth hefyd. Y cynta i'r felin fydd hi, boio.'

Bore trannoeth, roedd Owen wedi gwisgo'n ofalus – crys newydd Diesel, jîns Levis glas tywyll a threinyrs Converse du. Clasurol ond smart, gobeithiai. Roedd Mari wastad yn gwisgo'n ffynci ac roedd e'n gwybod ei bod hi'n rhoi cryn sylw i ymddangosiad rhywun. Cofiodd am un achlysur pan oedd e wedi ceisio tyfu barf yn aflwyddiannus, a'r hwyl gafodd Mari'n chwerthin ar ben ei olwg anffodus. Yn waeth na dim, roedd blydi Jac wastad yn edrych fel manecwin o Topman, yn rhy berffaith o lawer.

'Pa siaced?' gofynnodd Huw fel sarjant mêjyr.

'Yr un *khaki*?'

'Ych! Na, be ti'n meddwl fyddwch chi'n gwneud? Ail-greu *Apocalypse Now*? Gwisga dy siaced ledr, mae'n gwneud i ti edrych yn eitha cŵl, o ystyried cymaint o *nerd* wyt ti. Galle hi fod yn oer ar y llong, a ti ddim isie sythu fel *idiot*.'

'Iawn, Anti Huw!' meddai Owen, gan wisgo'i siaced ledr yn ufudd. 'Hwyl!'

'Reit, cofia fachu sedd drws nesa iddi ar y llong a phaid â gadael Jac yn agos ati,' rhybuddiodd Huw.

Am blydi siwrne uffernol, meddyliodd Owen wrth eistedd ar y llong stemar hynafol. Roedd eisoes wedi methu yn y cam cyntaf i rwydo Mari, sef eistedd wrth ei hochr. Blydi Jac – roedd e fel slywen fedrus, wedi llwyddo i blannu bochau ei ben ôl bach twt Topman wrth ochr Mari yn syth pan aethon nhw ar y llong. Gadawyd Owen yn gaeth nesaf at Harriet, yr *office bore*.

Dim ond un pwnc trafod oedd gan Harriet, sef ei phlant. Dwy ferch, un ar ddeg a naw mlwydd oed, Stephanie a Chloe, oedd yn fodau cwbl normal i bawb arall ond yn greadigaethau rhyfeddol yn llygaid eu mam déspret.

'O, mae Chloe mor alluog, mae hi'n codi ofn arna i,' anadlodd Harriet yn llawn rhyfeddod wrth Owen. Ceisiodd yntau foddi'i ofidiau mewn can o lagyr. Erbyn hyn, doedd Owen ddim yn trafferthu ffugio diddordeb yn ei chleber. Roedd y fenyw mor groendew, fyddai hi ddim yn sylwi petai e'n syrthio i goma o'i blaen.

'Ie, o'n i'n dweud wrthi ein bod ni'n mynd ar long y *Waverley* ac roedd y fechan yn gwybod pob dim am ei hanes hi! Jyst fel 'na! O'n i a Clive yn *shocked*!' Clive oedd gŵr anffodus Harriet, ysbryd o ddyn mae'n rhaid, ac er nad oedd Owen erioed wedi ei gyfarfod, teimlai ei fod yn ei adnabod yn dda. Gwyddai, er enghraifft, fod yn rhaid bod Clive yn dwat llwyr, yn unig am y ffaith ei fod wedi priodi'r fath fwystfil â Harriet.

'A Stephanie. Wel, mae'n gwneud mor dda yn ei thwrnament gymnasteg fel ein bod ni'n gorfod dioddef tipyn o genfigen oddi wrth y mamau eraill. Ond wedes i wrthi, "Steph, yn y byd 'ma mae 'na enillwyr a chollwyr. Gwna ti'n siŵr dy fod di'n ennill". Chware teg iddi, dyw hi heb golli twrnament eto. Ti isie gweld llun ohoni gyda'i chwpanau arian?'

'Na, mae'n iawn diolch, Harriet. Dwi'n gorfod mynd i'r tŷ bach. Rhywbeth yn pwyso. Wela i di wedyn.'

Cododd Owen yn frysiog o'i sedd a theimlo rhyddhad o wneud hynny. Doedd y peth oedd yn pwyso ddim cweit mor boenus bellach. Syllodd o'i gwmpas, a gweld bod Jac a Mari yn eistedd ychydig ar wahân i griw Gwalia. Reit, ar ôl cael slash, byddai'n mynd draw i eistedd gyda nhw. Prynai G an' T i Mari a'i wawio hi gyda'i *chat* ffraeth doniol, gan obeithio y byddai Jac yn cael y neges ac yn symud i eistedd gyda'r gweddill.

Post pisiad, ac wrth gerdded tuag at Mari a Jac, sylwodd pa mor brydferth yr edrychai hi heno. Gwisgai ffrog fach flodeuog oedd yn gweddu i'r dim i'w chorff tal a siapus. Fflachiai ei llygaid gwyrddion yn ddwfn yr un lliw yn union â'r tonnau oddi tano, chwythodd y gwynt ei gwallt tywyll dros ei hwyneb . . . *Bollocks*! Swniai fel bardd hynod o wael. Pam nad oedd e wedi gofyn iddi hi am ddêt flwyddyn yn ôl? Sut allai e gystadlu gyda Jac nawr? Roedd gan y boi bopeth – *gift of the gab*, corff fel David Beckham, ac roedd e'n glyfar, rhy blydi glyfar o'r hanner. Daeth syniad bach slei i'w ben wrth iddo gerdded tuag atynt.

'Jac, ma Harriet isie siarad gyda ti.' Ffugiodd Owen wên gyfeillgar.

'O *shit*! Be mae honna moyn nawr?'

Ffwrdd â Jac yn ddiamynedd. Gwenodd Owen iddo'i hun; nawr am y *charm offensive*. Doedd dim llawer o amser ganddo. Byddai'n rhaid iddo weithredu'n glou cyn bod y *boy wonder* yn dychwelyd.

'Shwd ma dy . . . fywyd carwriaethol di y dyddiau hyn?'

'Pam ti'n gofyn?' Sylwodd Owen bod Mari wedi codi'i haeliau'n ddrwgdybus arno.

'Drycha, o'n i'n meddwl gofyn rhywbeth i ti . . . Wy 'di meddwl gofyn ers tro . . .'

'Wy'n gwybod beth ti'n mynd i ddweud, Owen.'

'Wyt ti?' Cododd calon Owen. Wrth gwrs, meddyliodd, mae'n rhaid ei bod hi wedi synhwyro bod yr atyniad yn dal i fud-ferwi rhyngon ni.

'Mae Jac yn rhy ifanc i fi, a beth bynnag, wy'n gweithio gyda fe. Wy'n gwybod hynny, ond dwi'n rili licio fe.'

Suddodd calon Owen i'w esgidiau o fewn eiliadau, ond ceisiodd ffugio ei fod yn gwybod ei chyfrinach ers amser. 'O'n . . . O'n i'n meddwl dy fod ti . . . Ond . . . smo ti'n meddwl ei fod e'n rhy ifanc i ti? A beth sy 'da chi'n gyffredin heblaw am waith?'

Caledodd wyneb Mari wrth iddi fynd ati i amddiffyn ei theimladau tuag at Jac a chyfiawnhau eu perthynas.

Grêt! Roedd ei ymdrechion i gipio calon Mari wedi methu'n llwyr, a'r unig beth roedd e wedi llwyddo i'w wneud oedd ei hypsetio hi a gwneud i *wonder-boy* edrych yn fwy apelgar fyth. *Shit*! *Shit*! *Shit*! Man a man iddo fe anghofio am Mari a ffeindio merch arall. Edrychodd ar ei oriawr a sylweddoli bod ganddynt awr a hanner arall ar y blydi llong. Drachtiodd yn araf o'i beint a cherdded fel dyn ar *death row* i gyfeiriad y bar yng nghrombil y llong. Pwysodd yn benisel wrth y bar yn ystyried yr hyn oedd wedi digwydd.

A jyst pan oedd e'n meddwl na allai ei ddiwrnod e waethygu, gwelodd olygfa oedd yn hoelen olaf yn yr arch. Mari a Jac yn snogio fel dau anifail gwyllt a doedden nhw ddim yn malio pwy oedd yn eu gweld chwaith. Trodd ar ei sawdl yn ddirmygus a cherdded 'nôl lawr y grisiau serth i chwilio am noddfa wrth y bar.

Yno'n aros amdano roedd Harriet *on a mission*. 'Owen! Owen, y dyn ei hun! Dere i weld llun o Stephanie fach gyda fi!' Dechreuodd Harriet dwrio'n wyllt yn ei waled, yn amlwg yn eitha tipsi erbyn hyn.

'Harriet, dydw i na neb arall ar y ffycin llong 'ma isie clywed am dy blant di, ocê? Sdim byd yn waeth na gwrando ar fam wallgo'n sbowtan *shit* am blant sy'n ddim byd arbennig eniwê. So os nad oes ots 'da ti, dwi 'di dod lawr yma i gael drinc ar 'y mhen 'yn hunan heb ddim hasl!'

Cododd a cherdded i ffwrdd gan adael Harriet yn rhythu arno'n gegagored.

Blydi llongau! *Loveboat*, myn ffycin diain i! Pwysodd ar y reilins. 'O diar.' Trodd ei ben wrth glywed llais yn twt-twtio. Gwelodd ferch ddeniadol yn sefyll yn ei ymyl, yn amlwg yn eitha meddw. 'Ma golwg isie *shot* arnat ti, *big time,*' meddai gan eistedd wrth ei ochr. 'Yfa hwn.' Gwenodd Owen arni a derbyn y *shot* yn ddiolchgar. 'Lleucu ydw i,' dywedodd y ferch yn llawn hyder.

'Owen.'

'Owen, fy hoff enw i.' Gwenodd y ferch arno'n fflyrti cyn downio'i *shot* mewn un glec. 'Dwi ar barti "ieir" yma – blydi hunllef. Wy'n casáu ieir! Ma hanner y merched yn hwdu dros yr ochr, a'r hanner arall wedi copio gyda rhyw smalwod.'

'Wy 'ma 'da gwaith. Mae'n blydi uffernol.' Sylwodd Owen fod gan Lleucu wên atyniadol a llygaid duon. Lot pertach na llygaid cath Mari.

'Wel, diolch i Dduw mod i wedi dy ffeindio di, Owen,' dywedodd Lleucu gan roi ei braich am ei wddf yn chwareus.

Gwenodd Owen yn ôl arni, 'Ie. Diolch byth!'

Chwe mis yn ddiweddarach ac roedd Lleucu'n byw ac bod yn y fflat, er mawr boen i Huw.

'Mêt, mae hi'n *control freak* llwyr,' sniffiodd Huw'n swrth pan oedd Owen ac yntau'n rhuthro o gwmpas y fflat yn ceisio twtio ychydig ar y llanast cyn i'w gwesteion ddod draw i swper. Roedd Lleucu eisiau cwrdd â rhagor o ffrindiau Owen, meddai hi, ac felly gwahoddwyd Mari a Jac, Huw ac Elin, a oedd bellach yn gariad swyddogol i Huw, am bryd bach neis o fwyd. Diolch i Marks and Sparks, roedd y fwydlen yn un hawdd, er ei fod wedi gorfod sicrhau nad oedd cig, *gluten* na braster yn agos at bryd Lleucu, wrth gwrs.

'Ma hi jyst yn lico pethe'n berffaith 'na i gyd.'

'Gest ti stŵr ganddi am beidio gadael iddi hi ddewis ein *bread bin* newydd ni! Smo ddi hyd yn oed yn byw 'ma. Cyn bo hir, bydd hi'n dewis dy bants di!'

Roedd Huw *on a roll* ac felly heb sylwi bod Owen wedi cochi ychydig gan mai Lleucu oedd wedi dewis y rhan fwyaf o'i ddillad newydd yn ddiweddar, gan gynnwys ei bants.

'Gallet ti wneud lot mwy gyda dy hunan, Owen bach,' dyna oedd hi wedi'i ddweud wrtho wrth iddo bendroni dros brynu crys drud Ted Baker yn Howells. 'Ti ddim yn stiwdant nawr; mae'n bryd i ti wisgo fel oedolyn – *dress to impress* – falle wedyn gei di'r *promotion* yna yn dy waith.'

Ac ocê, roedd hi'n gallu bod yn *control freak*, fel yr wythnos ddiwetha pan guddiodd hi ei rasel e achos ei bod isie gweld mwy o *stubble* ar ei wyneb. Ond roedd hi jyst isie iddo fe wneud y gore ohono'i hun, a doedd dim byd o'i le ar hynny nag oedd? Wrth gwrs, doedd e heb sôn gair wrth Huw am y busnes 'da'r rasel.

'Gronda, Huw, wy'n gw'bod nad wyt ti'n ffan mawr o Lleucu. Ond tria ddod mlaen 'da hi, wnei di? Mae'n rili lico ti!'

'*Bollocks*! Mae'n esgus bod yn neis i fi pan wyt ti o gwmpas – ond wy'n gw'bod beth yw ei gêm hi. Mae hi isie fi mas o 'ma er mwyn iddi hi gael symud mewn.'

'Ti'n *paranoid*, Huw.' Chwarddodd Owen er fod yna gnapyn bach o ofn caled yn eistedd yn ei stumog a awgrymai efallai fod yna rywfaint o wirionedd yng ngeiriau Huw.

Cyn i Huw gael cyfle i rwgnach ymhellach, canodd y gloch a phwy oedd yno ond Lleucu'i hun gyda Mari a Jac yn ei dilyn hi'n lletchwith.

Roedd yn amlwg o'r cychwyn na fyddai Lleucu a Mari'n ffrindiau pennaf. O'r eiliad yr agorodd Lleucu ei cheg, gwyddai Owen na fyddai Mari'n cynhesu tuag ati. 'Mari, dwi'n hoffi'ch ffrog chi,' dywedodd Lleucu'n nawddoglyd, 'Primark llynedd, ife?'

Atebodd Mari'n oeraidd, 'Na, Topshop eleni.'

'Ife wir!' ebychodd Lleucu mewn ffug sioc. 'Gallen i fod wedi taeru . . . Wel, wrth gwrs, dydw i ddim yn mynd i Primark yn aml, rhag ofn i'r bòs fy ngweld i! Gweithiai Lleucu yn siop ddillad drudfawr Karen Millen yn y dre fel roedd hi'n pwysleisio nawr wrth Mari. 'Na, Karen Millen amdani, Mari, os wyt ti isie rhywbeth *classy*. Wrth gwrs mae hi 'bach yn ddrud, ond yn werth pob ceiniog . . .'

'Henffasiwn braidd i mi,' ychwanegodd Mari gyda gwên faleisus gan wybod yn iawn bod Lleucu'n gwisgo dillad o'r siop honno ar y pryd. 'Ar gyfer merched hŷn, falle.'

'Pawb at y peth y bo.' Torrodd Owen ar eu traws yn uchel cyn i'r ddwy ddechrau ffraeo fel cathod.

'Mae'r stecen 'ma'n ffein iawn, Owen,' dywedodd Jac yn gwrtais gan straffaglu i'w thorri.

'Mae hi braidd yn *well done*, Owsy,' chwarddodd Lleucu. 'Does dim lot o glem 'da Owen ni yn y gegin.'

Sylwodd Owen ar Mari'n rholio'i llygaid ar Huw wrth glywed yr 'Owsy' a'r 'Owen ni', a gwelodd Huw yn codi'i aeliau yn ôl arni. Huw a Mari, beth oedd yn bod arnyn nhw? Doedd Lleucu ddim mor wael â hynny. O leia roedd hi'n ddigon hen i gael mynediad i glybiau yn y dre, yn wahanol i Toiboi Jac!

Fyddai Owen byth yn cyfaddef hyn i neb, dim hyd yn oed Huw, ond roedd gweld Mari heno, yn edrych mor ddel a hapus gyda Jac wrth ei ochr, yn ddraenen enbyd yn ei ystlys. Roedd Lleucu, er ei holl ffaeleddau, yn well na neb, synfyfyriodd yn chwerw. Wedi'r cwbl, roedd e yn ei dridegau nawr, a'r dewis ymhlith ei ystod oedran yn prinhau. Deffrodd yn sydyn o'i fyfyrdodau pan glywodd eiriau ofnadwy'n dod o enau Lleucu . . .

'Wrth gwrs, pan fyddwn ni'n symud mewn 'da'n gilydd, fe fydda i'n gyfrifol am y *cuisine.*' Mwythodd Lleucu fraich Owen yn diriogaethol. 'Gall Owen ganolbwyntio ar lenwi'r *dishwasher* wedyn!'

SYMUD MEWN? Meddyliodd Owen mewn panig gyda'r geiriau'n fflachio'n *neon* o'i flaen i'w ddallu. Roedd e'n déspret am rywun, ond doedd e ddim mor déspret â hynny, chwaith. Gwelodd ei fywyd gyda Lleucu, petai'r ddau'n cyd-fyw gyda'i gilydd yn rhedeg ar wib o flaen ei lygaid. Byddai eu cartref fel mynwent Habitat ac yntau wedi ei gladdu'n fyw fel *mummy* mewn dillad *designer*, yng nghanol y *soft furnishings* a'r clustogau melfed. Diolch byth, neidiodd Huw i'r adwy'n barod i leisio'i farn.

'Symud mewn? Dim ond chwe mis y'ch chi wedi bod yn mynd mas 'da'ch gilydd!'

'Digon hir i ni wybod ein bod yn siwtio'n gilydd i'r dim!' atebodd Lleucu.

Ddywedodd Owen 'run gair, ac roedd yn ymwybodol iawn bod pawb yn syllu arno ac yn disgwyl am ei ymateb. Ond ni fedrai wneud dim ond dechrau torri'i stecen yn ffyrnig, nes iddo lwyddo yn ei wylltineb i dywallt gwydraid llawn o win coch dros ffrog newydd Lleucu.

'Owen!' sgrechiodd Lleucu wrth i'w ffrog wen newid ei lliw'n ddramatig i binc llachar, diolch i'r gwin rhad.

'Sori, Lleucu.' Ceisiodd Owen fopio'i ffrog yn lletchwith, aneffeithiol gyda *serviette*.

''Bach o win gwyn sydd isie dros hwnna, Lleucu,' dywedodd Mari gan ffugio consýrn, a chyn i Lleucu fedru ei rhwystro, tywalltodd wydraid llawn o win gwyn drosti.

Sgrechiodd Lleucu eilwaith cyn codi o'i chadair a rhedeg fel milgi i'r ystafell ymolchi. Erbyn hyn roedd pawb wedi rhoi'r gorau i'w prydau bwyd ac roedd yr awyrgylch yn uffernol.

'Ti'n meddwl y dylen ni fynd, Owen?' holodd Jac yn dawel.

'Ie, ma Lleucu i weld yn ypsét iawn,' dywedodd Mari gan bwffian chwerthin.

'Gwranda. Dwi wedi cael digon ohonot ti a Huw yn cymryd y *piss* mas o Lleucu heno. O'n i'n edrych mlaen i roi cyfle i chi gael dod i'w hadnabod hi'n well, a 'co beth nethoch chi!'

'Ni? Nid ni daflodd wydraid o win coch drosti, Owen!'

'Owen, mae hi'n uffernol,' hisiodd Mari. 'Mae'n dy gadw di o dan ei bawd, a gwaethygu wneith pethe os bydd hi'n symud mewn 'da ti!'

'Ie, soniaist ti 'run gair wrtha i am y datblygiad bach yna, naddo fe? Ble ydw i fod i fynd?' holodd Huw.

'Dwi ddim am symud mewn 'da hi, ocê? *No way*!' gwaeddodd Owen.

'Beth wedest ti?' Safai Lleucu yn dawel y tu ôl iddyn nhw, ei ffrog yn socian a'i llygaid yn llosgi.

'Well i ni fynd,' sibrydodd Elin yn uchel wrth Huw.

'Ie . . . diolch yn fawr am y swper,' dywedodd Jac yn gwrtais.

'Wela i di fory, mêt.' Blydi Huw!

Heglodd y pedwar hi allan o'r fflat gan adael dau dawel iawn ar ôl. Torrwyd ar y tawelwch o'r diwedd.

'Wel, diolch yn fawr i ti, Owen am strywo'r noson!' poerodd Lleucu. 'Ti'n gw'bod yn iawn mod i'n hollol ddifrifol am ein perthynas ni, a 'co ti'n dweud wrth bawb bod ti ddim yn becso taten!'

'Wedes i mo hynny!' Doedd dim pwynt i Owen amddiffyn ei hun, ond rhoddodd gynnig arni beth bynnag. 'Mae hi jyst lot rhy gynnar i ni siarad am symud i mewn 'da'n gilydd, dyna i gyd.'

'Pryd wyt ti'n mynd i dyfu lan, Owen? Ti yn dy dridegau *for God's sake*! Mae'n hen bryd i ti a Huw stopio bihafio fel dau stiwdant! Chi'n *pathetic*!'

Edrychodd Owen arni a gweld ei gwir gymeriad am y tro cyntaf. Sylweddolodd nad oedd e'n ei licio hi o gwbwl. Bu'n gwneud esgusodion drosti yr holl amser. Roedd Huw yn iawn; roedd hi'n *control freak*, a byddai ei fywyd yn uffern petai e'n symud i mewn gyda hi. Byddai'n well iddo fe orffen pethe nawr na gadael iddi feddwl fod yna siawns iddyn nhw gael perthynas ddifrifol.

'Lleucu, mae'n ddrwg 'da fi. Wy'n credu'n bod ni isie pethe gwahanol mewn bywyd, a bydde'n well i ni orffen pethe.'

'O na, Owen Davies. Paid ti â meiddio gorffen 'da fi!' dywedodd Lleucu'n ffyrnig.

'Sori, ond dyna'r peth gorau i ni wneud.'

'I ti, falle. Ond dwi'n gwrthod.'

'Beth?' Roedd Owen yn methu credu'i glustiau. Roedd hi'n gwrthod gadael iddo fe orffen gyda hi! Pa fath o *mind game* oedd hyn? Triodd eto.

'Wy'n gw'bod 'i bod hi'n anodd i ti glywed hyn, Lleucu. Dy'n ni ddim isie'r un pethe, ac mae'n well rhoi stop arni nawr cyn i rywun gael loes.'

'Na. Fe fyddi'n di'n diolch i mi yn y pen draw,'

atebodd Lleucu'n bendant gyda gwên ryfedd ar ei hwyneb. 'Nawrte, dere i olchi'r llestri a chlirio'r llanast 'ma!'

Syllodd Owen yn syn arni wrth iddi ddechrau cario'r llestri budr i'r gegin. Sut ddiawl oedd e'n mynd i gael gwared ohoni nawr?

Roedd yr wythnosau nesaf yn artaith i Owen wrth iddo wneud ei orau glas i osgoi Lleucu. Neidiai allan o'i groen bob tro y clywai gnoc ar y drws ffrynt, ac roedd Huw ac yntau'n treulio rhan fwyaf o'u nosweithiau yn swatio ar y llawr yn cuddio oddi wrthi.

'Er mwyn dyn, Owen,' dywedodd Huw, wrth i'r ddau guddio fel lladron ar lawr y gegin unwaith eto. 'Mae'n rhaid i ti roi stop ar hyn!'

'Be wyt ti'n awgrymu? Wy wedi dweud wrthi wyneb yn wyneb; wy wedi sgrifennu llythyron ac e-byst ati. Wy hyd yn oed wedi newid y cloeon, fy rhif ffôn, popeth. Beth arall alla i wneud?'

'Dwi'n meddwl ei bod hi'n bryd i ti alw'r *big guns.*'

'Pwy, yr heddlu?'

'Wel, ie. Mae Lleucu'n amlwg yn *stalker,* a gallai pethe droi'n gas. Dwi ddim isie codi un bore a ffeindio dy gorff di'n ddarnau mewn *bin bags* yn yr ystafell fyw.'

'Lyfli.'

Dechreuodd Owen ofni bod yna rywfaint o wirionedd yng ngeiriau Huw. Wedi'r cwbl, roedd *crimes of passion* yn un o'r troseddau mwya cyffredin, yn ôl y *tabloids.*

Ffoniodd yr Heddlu y bore wedyn ac esbonio'i broblem yn lletchwith. Chwarae teg, roedden nhw'n cydymdeimlo. 'Mae stelcio'n un o'r troseddau sydd wedi cynyddu fwyaf yn y blynyddoedd diwetha,' dywedodd yr Heddwas yn gysurlon. 'Fe alwn ni draw i weld Miss Jenkins, a'i rhybuddio i gadw bant.'

Teimlai Owen yn hapusach o lawer, a heblaw am ddanfon torch o flodai angladd ato a cherdyn yn darllen, 'RIP Owen a Lleucu', ni welodd hi eto, na chlywed oddi wrthi.

'Tro nesa, cer am ferch normal, 'nei di.'

'Fel pwy?' Edrychodd Owen yn ddiflas wrth geisio stwffio torch flodau eu perthynas i fag sbwriel yn y gegin.

'Beth am Mari, er enghraifft? Hi yw'r un i ti, ti'n gw'bod hynny cystal â fi! O'n i'n gallu gweld pa mor eiddigeddus o't ti o'r Jac 'na pan ddaethon nhw draw i swper.'

'Ma Mari i weld yn hapus iawn 'da Jac, Huw, felly sdim pwynt i fi feddwl mwy amdani, o's e?'

'Gwranda boio. Mater o amser fydd hi cyn i Mari gael digon ar Jac. 'Co, mae e'n foi ifanc yn ei ugeiniau, ac mae hi yn ei thridegau. Mae e isie mynd mas gyda'i fêts a meddwi, ac mae hi isie setlo lawr. Ffling yw e, gei di weld.'

'Sa i'n credu 'ny, Huw. Ma nhw wedi bod gyda'i gilydd ers sbel nawr, a 'co fe, ma 'da fe bopeth!'

'Wel, sdim . . . aeddfedrwydd 'dag e. Na, dyw'r pethe 'ma byth yn para. Ti'n cofio ti a Magi Prydderch?'

'Dyw Mari ddim fel Magi! Mae'n iau o lawer!'

'Wy'n gw'bod 'ny, ond mae'r *scenario*'n debyg. 'Bach o amynedd a dyfalbarhad, a gei di weld 'mod i'n iawn.

Nawrte, pam na wnei di ofyn i Jac ddod mas am beint gyda ti er mwyn i ti holi fe am Mari? Gei di weld wedyn pa mor ddifrifol ma pethe rhyngddyn nhw.'

'Ti ddim mor drwp â beth o'n i'n meddwl o't i.'

'*Know your enemy*. Dyna reol gyntaf rhyfela. Ac os wyt ti isie ennill, rhaid i ti ddysgu mwy am Jac.'

Tapiodd Huw ei drwyn; yffach, roedd e'n dda.

Cytunodd Jac yn eiddgar i'r gwahoddiad i gael peint yn y Cayo Arms ar ôl gwaith. Awgrymodd Owen eu bod nhw'n yfed eu peints gyda *chasers* er mwyn i Jac feddwi'n gynt a llacio'i dafod. Hyd yn hyn roedd ei gynllun yn gweithio'n grêt wrth i Jac lyncu'i bumed peint yn awchus.

'*So*, Jac . . . Shwt ma pethe 'da ti a Mari, 'te?' holodd Owen yn ymddangosiadol ffwrdd-â-hi ond gan lygadu Jac fel hebog.

'Ma Mari'n rili cŵl – dim fel merched eraill. Mae'n *sex buddy* grêt!'

Secs-Bydi? Ai jargon pobol ifanc oedd hyn am gariad? 'Secs-bydi?'

'Ie, smo ddi isie unrhyw *strings*, achos mod i'n rhy ifanc iddi hi ac mae hi'n rhy hen i fi. Bydd hi isie plant cyn bo hir, medde hi, so dyw hi ddim isie bod yn ddifrifol 'da fi. *Sex* 'na i gyd.' Llithrodd geiriau Jac i'w gilydd yn feddwol, a cheisiodd gynnau'r ochr anghywir i'w sigarét.

'Dyna beth ddywedodd hi wrthot ti?'

'Yup!' Gollyngodd Jac ei sigarét ar y llawr gan fethu cyrraedd at yr her o'i chynnau. 'Y gore o ddau fyd. *Sex on tap*, ond rhyddid i fynd gyda phobol eraill. Perffaith.'

'Ac ma Mari'n hapus gyda hyn?'

'Wel, 'na beth wedodd hi. Peint arall, mêt?'

'Fosters plîs, mêt,' gwenodd Owen arno. Felly doedd Mari ddim mewn cariad gyda Jac – roedd 'na obaith wedi'r cwbl. Gwenodd iddo'i hun a llwyddo i gynnau'i sigarét yntau. Y tro hwn, fe fyddai e'n llwyddo gyda Mari . . . gobeithio.

Pennod 9

Mari: Mr Perffaith?
2008

Roedd Mari'n brysur yn teipio neges e-bost at ei bòs yn esbonio syniad newydd gafodd hi am raglen ddogfen am UFOs yng Nghymru, pan sylwodd ar e-bost oddi wrth Owen ar ei pheiriant. Y testun oedd: *Gwahoddiad*. Agorodd y neges:

Annwyl Mari
Wyt ti'n rhydd i fynd allan am ddrinc heno? Isie trafod rhywbeth personol gyda ti. Cayo am chwech?
Owen x

Rhywbeth personol? Oedd e wedi cael swydd arall neu rywbeth? Roedd hi'n gwybod nad oedd e'n mwynhau gweithio ar gyfresi hanes sych, ei fod wedi syrffedu ar fod yn ymchwilydd ac yn awyddus i fod yn gynhyrchydd. Edrychodd draw ato, a cheisio darllen ei wyneb, ond roedd yn siarad yn brysur ar y ffôn. Wel, roedd hi'n hoff iawn ohono ac os oedd e isie cyngor, roedd hi'n hapus i wrando. Noson Jac gyda'r bois oedd hi heno. Atebodd yr e-bost:

Haia Owen
Iawn, dim probs. Edrych mlaen.
Mari x

'Ti'n gneud rhywbeth heno?' Gwyliodd Jac hi'n rhoi ychydig o finlliw ar ei gwefusau wedi iddi ddiffodd ei chyfrifiadur.

'Jyst i'r pỳb am ddrinc 'da Owen.' Roedd hi'n falch bod pethe mor ysbeidiol gyda Jac. Doedd hi ddim yn malio taten ei fod e allan gyda'i ffrindiau heno ac yn bownd o dynnu rhyw ferch ifanc a'i shagio. Roedd e fel brawd bach iddi, rili – wel, brawd bach roedd hi'n cael rhyw gyda fe. Na, falle ddim – roedd hynna'n swnio'n rili afiach.

Cerddodd Owen i fyny at ei desg. 'Ti'n barod?'

Chwarddodd Jac. 'Hei. Watsha di hwn, Mari. Pan es i mas am beint gyda fe, wnaeth e fy meddwi i'n gaib!'

'Nid fy mai i yw e dy fod ti'n *lightweight*.' Edrychodd Owen ar Jac â wyneb comedi ffug-ddifrifol, ond roedd yn golygu bob gair.

'Wela i ti fory, Jac,' meddai Mari wrth ddilyn Owen allan o'r swyddfa.

'Be ti isie? G an' T?' gofynnodd Owen, pan oedd y ddau'n sefyll wrth y bar yn y Cayo.

'Plis.' Am y tro cynta, sylwodd Mari ar freichiau cyhyrog Owen. Mae'n rhaid ei fod e wedi bod yn codi pwysau, meddyliodd, achos y tro diwetha yr edrychodd hi'n agos arno, roedd e mor denau â Peperami.

'Oi, dyma chi!' Trodd Owen a Mari i gyfeiriad y llais, a dyna lle safai Jac yn gwenu arnynt.

'O'n i'n meddwl dy fod ti'n mynd mas 'da'r bois heno!'

'Wel, galla i fynd mas 'da nhw unrhyw noson. O'n i'n eitha ffansïo sesiwn gyda chi'ch dou heno yn lle 'ny!' Gwenodd Jac yn llydan, rhoi cusan fawr i Mari ar ei gwefusau a gosod ei fraich yn frawdol ar ysgwydd Owen.

Sylwodd Mari fod wyneb Owen wedi tywyllu a deallodd o hynny nad oedd e eisiau i Jac fod yn bresennol. Mae'n rhaid fod ei gyfrinach e'n rili sensitif, meddyliodd.

'Yyy, Jac. O'dd Owen isie gair gyda fi heno, jyst fi, felly oes ots 'da ti'n bod ni'n cael hanner awr fach ar ben ein hunain gynta, a gwrddwn ni lan gyda ti wedyn?'

'Ocê 'te . . .' Roedd Jac yn amlwg yn anfodlon. 'Af i am beint 'da Trig a dof fi 'nôl mewn ryw awr, os yw hynny'n ocê . . . Owen?' Edrychodd Jac ar Owen gyda chenfigen yn amlwg yn ei lygaid.

'Iawn 'da fi.'

Ddywedodd Jac 'run gair. Trodd ar ei sawdl a cherddded yn bwdlyd allan o'r pỳb.

'Ei, paid bod fel 'na, Jac. Wela i di wedyn!' gwaeddodd Mari ar ei ôl.

'Sori am Jac. Dyw e ddim yn arfer bod fel 'na. Reit, beth yw'r gyfrinach fawr bersonol 'ma ti isie'i thrafod 'da fi?'

Oedodd Owen yn lletchwith gan gymryd llymaid o'i gwrw. 'Wy wedi bod isie dweud hyn wrthot ti ers ryw flwyddyn nawr.'

'Dere, gwed be sy ar dy feddwl di!'

'Y peth yw, Mari . . . *Oh God* . . . Wy'n dy garu di. Wy wedi dy garu di ers y funud weles i ti, er do'n i ddim yn sylweddoli 'ny ar y pryd.'

Gwridodd a syllu â diddordeb mawr i mewn i'w beint, yn aros i Mari ymateb. Edrychodd Mari arno'n syn. Doedd dim cliw ganddi bod Owen yn ei hoffi, a heblaw am fflyrtio achlysurol, doedd e erioed wedi dangos ei fod yn ei charu hi!

'Ti'n 'y ngharu i?' craciodd ei llais.

'Ydw, a dwi ffaelu helpu fe. Wy'n gwybod bod ti ond yn *sex-buddy* i Jac, a bod ti'n chwilio am rywbeth mwy seriys. Wel, wy'n chwilio am rywbeth mwy seriys hefyd . . .'

'Beth am y Lleucu 'na? O'n i'n meddwl bod chi'n seriys?'

'Dim ond hi o'dd yn seriys. Gorffennes i 'da Lleucu. O'dd hi off ei phen. Gwranda, Mari. Dwi wedi cael 'yn siâr o fenywod, ac ma wastad rhywbeth wedi mynd o'i le. O'n i ddim wedi trafferthu dod i'w nabod nhw'n gynta t'wel. Unwaith o'n i'n dod i'w nabod nhw, wel a bod yn onest, do'n i ddim yn lico nhw lot wedyn. Ti a fi, wel, ni'n wahanol.'

'Ond doeddet ti ddim isie dim byd i neud â fi pan aethon ni mas o'r bla'n.'

'O'n i'n becso bydde pethe ddim yn gweithio mas.'

'Ife achos Jac ti 'di newid dy feddwl?'

'Ma Jac wedi agor 'yn llygaid i. Dwi'n casáu'ch gweld chi 'da'ch gilydd.'

'Wyt ti?' Syllodd Mari mewn penbleth ar wyneb Owen, yn ceisio'i ddarllen. Edrychodd ar ei lygaid mawr tywyll fel petai'n cael ei hypnoteiddio. Wrth gwrs ei bod hi wedi meddwl am Owen mewn ffordd ramantaidd, yn enwedig pan aethon nhw ar y 'dêt' yna i glwb Reflex. Ond ar ôl y noson honno, wedi iddi gael ei gwrthod, meddyliai amdano fel ffrind. Ai Owen oedd yr un? Neu oedden nhw'n ormod o ffrindiau i fod yn gariadon? A beth am Jac?

'Fi'n gw'bod be sy ar dy feddwl di,' dywedodd Owen, fel petai e'n gallu darllen ei meddyliau. 'Odyn ni'n ormod o ffrindie? Wel, dwi'n meddwl bod hynny'n ffordd rili dda o ddechre perthynas . . .'

'Ond wnest ti ddim dangos o gwbl bod ti'n lico fi pan o'n i 'da dynion eraill o'r blaen . . .' Roedd Mari wedi rhannu'i phroblemau carwriaethol yn aml gydag Owen yn y gorffennol er mwyn cael barn wrywaidd. Doedd e erioed wedi dangos gronyn o genfigen cyn hyn, wel, ddim tan Jac.

'Wy'n gwybod. Ond o'n i ddim yn eu nabod nhw, t'wel. Ma Jac o dan y nhrwyn i bob dydd . . . A phan weles i chi'n snogo . . .'

'Snogo?'

'Ar y blydi llong 'na. O'n i bron â marw isie gofyn ti mas, ond o't ti fel *scud missile* ar ôl Jac!'

Cochodd Mari wrth gofio'u dadl ar y llong. Doedd hi ddim wedi sylweddoli bod Owen mor hoff ohoni.

'A wy'n credu bod ti'n teimlo'r un fath. Wedi'r cwbl, roeddet ti'n casáu Lleucu.'

'Ro'dd pawb yn casáu Lleucu,' cywirodd Mari fe.

'Olreit. Ond Mari, ry'n ni yn ein tridegau nawr. Smo ti'n meddwl ei bod hi'n bryd i ni stopio chware gêmau?'

Cyn i Mari gael cyfle i ateb, cerddodd Jac tuag atynt. Tywyllodd ei wyneb pan sylweddolodd fod Owen a Mari'n dal dwylo.

'Be ffyc sy'n mynd mlaen?' gwaeddodd dros y lle.

'Jac, be sy'n bod arnat ti? Ti'n gwneud *scene*!'

'O'n i'n meddwl bod rhywbeth rhyngddoch chi'ch dau,' ebychodd Jac a rhythu'n filain ar Owen.

'Gwranda, Jac. O'n i'n meddwl ein bod ni wedi cytuno, *no strings*.' Teimlai Mari embaras llwyr gan sylwi fod pawb yn y pỳb yn rhythu arnynt.

'Ie, wel, do'n i ddim wedi ystyried dy fod ti'n gymaint o *slag* ag wyt ti!'

'Ei, mêt. Ara deg, nawr. Paid â siarad â Mari fel 'na . . .'

'Ca' di dy ffycin *chops* . . . mêt! O'n i'n meddwl bod ti'n gwd mêt, ond ti'n ffycin bradwr!'

'Paid â bod mor felodramatig, wnei di, Jac. O't ti'n gw'bod y sgôr o'r cychwyn! A does dim byd wedi digwydd rhwng Owen a fi eniwê.'

'Pam oeddech chi'n dala dwylo, 'te, e? Ti'n hen slwten, ti'n gw'bod 'ny?' Camodd Jac yn fygythiol tuag at Mari'n.

'Reit, mae'n bryd i ti fynd.' Gafaelodd Owen ym mraich Jac. 'Ty'd nawr . . .'

'Paid cyffwrdd â fi!' A chyn i neb gael cyfle i wneud dim, plannodd Jac ddwrn yn galed yn wyneb Owen a'i daro'n fflat i'r llawr.

'Jac!' gwaeddodd Mari a'i dynnu oddi ar Owen.

'Oy! Break it up!' Daeth bownsar i'r golwg o rywle a chydio yn Jac gerfydd coler ei grys. 'You OK, love?' gofynnodd y bownser i Mari. Roedd hi ar ei gliniau wrth ochr Owen yn ceisio mopio'i drwyn gwaedlyd â'i hances.

'It's him. He's mental!' gwaeddodd, gan bwyntio at Jac.

'Mari! Plis! Dwi'n sori!' ymbiliodd Jac arni wrth iddo gael ei lusgo'n ddiseremoni allan o'r pỳb. Clywai Mari ei lais am beth amser wedi hynny, yn galw'i henw ar y stryd tu fas.

Trodd Mari i edrych ar Owen. 'Ti'n ocê?' holodd.

'Bydda i'n iawn mewn munud.' Ceisiodd Owen wenu ond roedd hynny'n rhy boenus.

'Feddylies i byth y bydde fe mor *possessive*.'

'Wel, o't ti 'bach yn naïf yn meddwl y gallet ti gael perthynas *no strings*. Pwy ti'n feddwl wyt ti? Samantha yn *Sex and the City*?'

'Ie, reit! 'Co fi, Owen. Sdim siâp arna i lle ma dynion yn y cwestiwn. Ma popeth wastad yn mynd o'i le.'

'Wel, sdim rhaid i bethe fynd o'i le y tro 'ma. Be ti'n feddwl?'

'Owen, dwi ddim yn gw'bod. Dwi wedi cael cymaint o brofiadau gwael, a'r peth diwetha dwi isie yw colli'n cyfeillgarwch ni.'

'Grêt. Ti'n barod i roi'r gore iddi cyn dechre!'

'Owen, nid 'y mai i yw e dy fod ti'n *thirtysomething* unig. Dwi ddim ishe bod yn *consolation prize* i neb. Dwi isie rhywun sy rili isie fi, sy'n 'y ngharu i gymaint nes teimlo y bydden nhw'n ffrwydro hebddo i.'

'Fel 'na'n union dwi'n teimlo,' meddai Owen yn daer.

'Ie, Owen. Ti isie fi cymaint fel dy fod ti wedi nhroi i lawr unwaith ac wedi bod yn gweld rhywun arall tan yn ddiweddar!'

'Wel, do'n i ddim yn sylweddoli sut o'n i'n teimlo bryd hynny. Ond dwi'n gwybod nawr.'

'Dyw e ddim yn ddigon, Owen. Alla i ddim fforddio *break-up* uffernol emosiynol arall. Wy wedi gwneud potsh o bethe gyda Jac yn barod, a bydda i'n gorfod ei wynebu fe'n y gwaith bob dydd. Alla i ddim risgio pethe'n mynd o chwith rhyngon ni'n dau chwaith. Ti'n ormod o ffrind da i hynny ddigwydd. Ma'n wir ddrwg 'da fi.'

Safai Owen yn fud yn ei gwylio hi'n gafael yn ei bag ac yn cerdded allan o'r pỳb. Gwyddai Mari ei bod hi wedi gwneud y penderfyniad iawn. Roedd hi'n dyheu am y foment ffilmig fawr, nid cyfaddefiad ansicr gan fachgen unig a désbret. Pam, felly, o'dd hi'n teimlo mor *shit*?

Owen: Miss Perffaith?
2008

'Reit, boio. Beth y'n ni'n w'bod am Mari?' Ar ôl gwrando ar stori druenus Owen, roedd Huw wedi dechrau ar y dasg o gasglu ffeithiau'n glinigol.

'Nagyw hi ishe perthynas gyda fi.'

'Ddim eto, falle. Ond fe fydd hi, gei di weld. Gad ti bopeth i Yncl Huw. Nawrte, ry'n ni'n gw'bod ei bod hi'n rhamantus. Ei hoff ffilm yw . . .'

'*When Harry Met Sally*,' gorffennodd Owen y frawddeg yn awtomatig.

'Reit. A be sy'n digwydd yn *When Harry Met Sally*?'

'Maen nhw'n ffrindie'n gynta ac wedyn, ar ôl deuddeg mlynedd o ffaffian, ma nhw'n syrthio mewn cariad.'

'Yn gwmws!'

'Drycha Huw, sdim deuddeg mlynedd gyda fi i sbario. Wy'n tynnu mlaen!'

'Ie, ie, wy'n deall 'ny. *Work with me on this*. Ond be mae Billy Crystal yn ei wneud i ennill calon Meg Ryan?'

'Rhedeg fel *mentalist* ar Nos Calan a dweud wrthi gymaint mae'n ei charu?'

'Ie, ond nid hynny'n unig. Mae'n dangos iddi hefyd trwy restru popeth mae'n ei garu amdani.'

'So be ti'n awgrymu – mod i'n rhedeg draw i dŷ Mari fel *idiot* a gwneud rhyw *grand gesture* mawr?'

'Ti'n gorffod DANGOS i'r ferch. Ti wedi DWEUD wrthi . . . *Birds love it, mun*. Mae isie rhyw *big romantic thing* arnat ti. Onest.'

'Un o'r rhesymau oedd ganddi yn erbyn dechrau

perthynas 'da fi oedd y byddai hynny'n achosi cymhlethdod yn y gwaith.'

'Wel, pam na wnei di ymddiswyddo er mwyn i chi gael dechrau'r berthynas heb gymhlethdodau? Gelet ti ddigon o swyddi eraill.'

'Ti'n meddwl y byddai hynny'n gweithio?'

Roedd Owen yn déspret, yn barod i gredu unrhyw beth. Wedi'r cwbl, roedd e wedi cael llond bol ar weithio yn Gwalia, yn enwedig os na fyddai e'n gallu cael Mari fel cariad iddo fe. Byddai'n greulon i'w gweld hi bob dydd, yn gwybod na allai ei chael hi. Gobeithiai y byddai gweithred o'r fath yn dangos iddi ei fod e o ddifri.

'Mae hwnna'n ddechrau da. Ond mae gen i syniad arall fydd, gobeithio, yn clinsho pethe. Alli di gael benthyg golygydd yn y gwaith ar y *QT*, ti'n meddwl? Rwyt ti, fy ffrind bach déspret, yn mynd i wneud ffilm . . . '

O'r diwedd, gwawriodd *D-Day*. Dewisodd Owen ddiwrnod pan fyddai Jac allan ar leoliad, rhag dinistrio'r *vibe*. Gyda chydweithrediad Sam, golygydd Gwalia, roedd e wedi torri ffilm fechan yn cynnwys hoff glipiau Mari o'r ffilmiau mwya rhamantus fu erioed. Dewisodd y darn yn *Amélie* lle'r oedd hi'n synfyfyrio am ei diwrnod perffaith gyda'r boi roedd hi'n ei garu yn y dirgel; yr olygfa lle mae Harry'n esbonio'i wir deimladau at Sally; yna'r olygfa lle mae Gary Oldman fel Draciwla yn dweud wrth Winona ei fod wedi 'croesi moroedd amser i fod gyda hi', ac yn olaf, i selio'r ddêl, yr un lle mae Laurence Olivier fel yr

Arglwydd Nelson yn cusanu Vivien Leigh, ei Arglwyddes Hamilton, ar Nos Calan 1799.

Ac i gloi'r ffilm, roedd e wedi ffilmio darn bach animeiddiedig *rough* ohono'i hun yn datgelu'i gariad tuag at Mari, yn dipyn huotlach y tro hwn. Cawslyd, ie; déspret, yn bendant; llwyddiannus, gobeithio . . .

Roedd Owen ar binnau trwy'r dydd wrth geisio cael Mari ar ei phen ei hun. O'r diwedd, llwyddodd i gael gair gyda hi yn y gegin dros baned o goffi.

'Mari, dwi'n cael *screening* bach heno o'r ffilm fer 'na wy wedi bod yn gweithio arni.' Ceisiodd Owen swnio fel pe bai'n trafod rhywbeth cwbl ddibwys. Roedd e eisioes wedi plannu'r hedyn ei fod yn creu ffilm fer fel rhan o gystadleuaeth ffilmiau byrion.

'Ti'n gallu dod? Ma pawb yn y gwaith yn aros ar ôl heno. Dim ond hanner awr fydd e.' Gwyddai Owen fod Mari'n rhydd beth bynnag, gan iddo edrych yn slei ar ei chalendr ar-lein i weld a oedd hi'n brysur.

'Edrych mlaen, Mr Spielberg.' Gwenodd Mari. Roedd hi mor hoff o Owen, beth bynnag oedd wedi digwydd rhyngddyn nhw.

Doedd Owen heb sôn gair wrth neb yn y gwaith am wir gynnwys y ffilm – heblaw am Sam, y golygydd, wrth gwrs ac roedd hwnnw wedi addo peidio â dweud gair wrth neb. Am hanner awr wedi pump, cododd Owen o'i sedd, gan geisio cuddio'i gryndod a chyhoeddi'n uchel, 'Reit 'te bawb, dewch i weld ffilm.'

Symudodd pawb yn ara deg tuag at y sgrin yn y brif swyddfa, gan ffaffio fel defaid yn dilyn ei gilydd.

'Dewch mlaen bobol!' dywedodd Owen gan fethu cuddio'r elfen ddiamynedd yn ei lais. 'Heddi, ddim fory! Na, dim fan'na Harriet!' gwaeddodd ar Harriet wrth iddi geisio parcio'i phen-ôl yn y sedd orau o flaen y teledu. 'Mari sy'n eistedd fan'na.'

Trodd Mari ato a rhoi edrychiad chwilfrydig arno, ond eisteddodd yn ufudd heb ddweud gair. Gwasgodd Owen *Play* gan weddïo nad oedd e'n gwneud ffŵl ohono'i hun. Curai ei galon fel gordd – ai dyma fyddai camgymeriad mwya ei fywyd? Cychwynnodd y ffilm, ac eisteddodd pawb drwyddi heb symud gewyn. Erbyn cyrraedd y diwedd, a'r Owen animeiddiedig, roedd y swyddfa'n dawel fel y bedd.

Cafwyd adwaith ffafriol i'r golygfeydd rhamantus yn y ffilmiau gan y merched yn y swyddfa, ac ambell un o'r dynion yn rholio'u llygaid. Ond doedd Owen ddim yn malio ffeuen amdanyn nhw. Hoeliodd ei lygaid yn gyfan gwbl ar Mari. Sylwodd fod gwên fach yn chwarae ar ei gwefusau yn ystod y ffilm, yna daeth yr uchafbwynt a'r Owen animeiddiedig yn rhannu'i wir deimladau:

Mari, dwi'n dy garu di, a dim achos mod i'n mynd yn hŷn ac yn ofni bod yn unig. Ond achos mai ti wyt ti. Ti'n gallu bod yn ddiamynedd ac yn naïf iawn weithie. Ond rwyt ti hefyd yn ddoniol, yn deall fy jôcs i, ac ma 'da ti'r llyged perta dwi wedi'u gweld erio'd. Ti yw'r ferch i fi, ac alla i ddim sefyll 'nôl a wynebu dy golli di eto.

Dwi wedi bod mas gyda lot o ferched a does yr un ohonyn nhw wedi gweithio mas achos doedden nhw ddim yn iawn i fi. Gobeithio bod ti'n gallu gweld bod run peth yn wir amdanat ti . . . wel nid bod ti wedi bod mas da lot o ferched wrth gwrs, ond bod y dynion rwyt ti wedi bod mas 'da nhw ddim yn iawn i ti chwaith, dim un ohonyn nhw.

Mae'n rhaid bod ffawd wedi'n cyflwyno ni i'n gilydd am reswm yr holl flynyddoedd 'na 'nôl . . . Ac os wyt ti isie rhamant fel yn y ffilmie, wel fe wna i fy ngorau i'w roi e i ti achos – wy'n dy garu di.

Edrychodd Owen yn betrus ar wyneb Mari a gweld ei bod yn gwenu arno. Oedd hynny'n arwydd da? Anodd dweud. Cyn iddi gael cyfle i ymateb, cododd Owen ar ei draed.

'Dwi 'di gwneud hyn yn gyhoeddus er mwyn dangos fy ngwir deimladau tuag at Mari. Dwi am ymddiswyddo o'm swydd rhag i'r ffaith ein bod ni'n gweithio gyda'n gilydd achosi unrhyw gymhlethdodau rhyngon ni. Wy o ddifri, Mari.'

Trodd Owen i edrych ar Mari ac estynnodd ei law yn grynedig iddi. Edrychodd Mari arno, gan siglo'i ei phen mewn anghrediniaeth. Plîs dwed ie; plîs, plîs, gweddïodd Owen yn dawel.

'Beth amdani?' holodd mewn llais bach, crynedig.

Diweddglo 1

Mari: Mr Iawn

Edrychodd Mari'n syth i'w wyneb cyn gafael yn ei law a'i gusanu'n anghenus. Ac am y tro cynta erioed, teimlai ddyfnder cariad amryliw yn y gusan honno. Bu'n magu'r freuddwyd o ffeindio'r 'dyn perffaith' ers cyhyd nes nad ei bod heb sylweddoli mai ffantasi ffilm oedd y creadur hwnnw, nid dyn o gig a gwaed gyda ffaeleddau a chryfderau fel pawb arall.

Oedd, roedd Owen yn medru bod yn chwit-chwat, ac yn anaeddfed ar brydiau. Ond roedd e hefyd yn onest, yn garedig, yn ddoniol ac yn ei charu hi'n fawr – roedd hynny'n amlwg. Am y tro cynta yn eu perthynas, sylweddolodd ei bod hi'n ei garu yntau, yn wirioneddol ei garu.

Gwyddai nad oedd yn beth rhwydd iddo fe ddatgelu'i deimladau o flaen pawb yn y swyddfa, ac o'i blaen hi hefyd. Falle nad fe oedd y dyn perffaith, yr uncorn mytholegol y bu'n chwilio amdano cyhyd, ond gwyddai mai Owen oedd yr un oedd yn berffaith iddi hi'r funud honno. Doedd Mari ddim am feddwl na phoeni am yfory – roedd am fyw yn y foment am unwaith. Fentrai hi ddim meddwl a fyddai pethe'n gweithio mas ai peidio; dim ond ffŵl fyddai'n gwneud hynny. Edrychodd ar Owen ac roedd ganddi deimlad rhyfedd ym mêr ei hesgyrn y byddai pethe'n gweithio'r tro hwn.

'Owen, 'sneb sy'n fwy perffaith na ti. Ti yw Mr Perffaith . . .' Gwenodd Owen a gwrido.

'Perffaith i fi.'

Ac yn wahanol i'r ffilmiau, lle byddai'r dorf o gwmpas yn ymuno yn y foment ac yn cymeradwyo, sleifiodd gweddill staff Gwalia allan o'r swyddfa'n lletchwith, gydag ambell wên ac ambell wg (wrth Harriet yn bennaf) gan adael Mari a Owen i fwynhau eu moment berffaith i'r eithaf.

Diweddglo 2

Mari: Mr Falle Ddim

Edrychodd Mari'n syth i'w wyneb cyn gafael yn ei law. Trodd at ei chydweithwyr a dweud yn dawel, 'Fydde modd i chi roi dwy funud i ni? Os nad oes ots 'da chi . . .'

Roedd yna ddistawrwydd lletchwith yn yr ystafell, a'r ddau ohonynt yn aros i bawb fynd. *Shit*! Doedd dim syniad ganddi sut i ddelio â hyn. Dylai hi fod wrth ei bodd bod 'na ddyn ffantastig fel Owen yn gosod ei holl deimladau ar blât o'i blaen hi. Ond doedd hi ddim yn gallu anwybyddu'r ansicrwydd yn ei chalon.

Pan oedden nhw ar eu pennau'u hunain, siaradodd Owen, a holl obaith ei ymgais yn dod â chrygni i'w lais. 'Beth ti'n feddwl, 'te? Oedd e'n ormod?'

Gwasgodd Mari ei law yn dyner, 'Oedd e'n hyfryd . . . Ond Owen, ti ddim rili'n fy ngharu i.' Fflachiodd anghrediniaeth a dicter yn ei lygaid; roedd wedi agor ei galon yn gyhoeddus a dyma Mari'n dweud wrtho sut roedd e'n teimlo.

'Wrth gwrs mod i! Dwi ddim 'di stopio meddwl amdanat ti ers misoedd! A wy'n gwybod bod 'da ti deimladau tuag ata i. Pam arall ti'n meddwl wnes i ffŵl o'n hunan o flaen pawb?'

'Wy'n rili licio ti, Owen. Wy'n rili ffansïo ti. Ond alla i ddim rhoi be wyt ti ei angen. Wyt ti isie be o'n i arfer isie . . . y ffantasi, y math o gariad sy mewn ffilmie sy ddim rili'n bodoli. Ti mewn cariad gyda bod mewn cariad, Owen.'

'Be ffwc? Shwt ddest ti o hyd i'r theori wallgo 'ma? *Sex and the City*, ife? Sa i'n meddwl bod ti'n gw'bod mwy am 'y nheimlade i nag ydw i'n hunan. Felly pam o't ti mor eiddigeddus o Lleucu os nad o't ti'n y ngharu i?'

'O'n i yn eiddigeddus, wrth gwrs – ti yw'r dyn wy agosa ato a beth bynnag, roedd hi'n hen ast. Wy'n dy garu di, Owen, ond ddim fel wyt ti isie. Ti'n ffrind ffantastig, ac fe ddoi di i weld mewn amser 'yn bod ni'n rhy debyg. Ni'n dau'n ramantwyr, yn chwilio am freuddwyd sy ddim yn bodoli. Gafon ni or-ddos o'r ffilmie lyfi-dyfi 'na.'

'*Bollocks* yw hyn i gyd! Sa i'n gw'bod be sy'n bod arnat ti! Ti wastad wedi gweud bod ti'n chwilio am ddyn rhamantaidd, sensitif – dy enaid hoff cytûn. Wel dyma fi! Dwi ddim yn berffaith fel Johnny Depp neu Clooney, ond smo fi'n trio bod chwaith.'

'Owen, plis tria ddeall. Ma angen rhywun arnon ni'n dau sydd â'u traed ar y ddaear, rhywun solet.'

'Rhywun *boring*, ti'n feddwl. Wel dwi ddim isie 'na a dwi ddim yn meddwl mai dy le di yw dweud wrtha i be dwi isie. Be sy'n bod ar fod yn rhamantwyr? Pam ma'n llwybrau ni wedi croesi cymaint dros y blynyddoedd, ti'n meddwl? Rhywun neu rywbeth yn trio dweud rhywbeth wrthon ni. Dyna pam. Ti'n gwybod pa mor lwcus y'n ni bod ni wedi ffeindio'n gilydd? A 'co ti'n ei daflu e bant fel hyn achos ti 'di darllen ryw *shit* gan Germaine Greer neu rywun!'

'Fi'n deall bod ti'n *pissed off*, Owen, a mod i wedi dy frifo di, ond wy'n dilyn fy ngreddf. Ma rhywbeth sy ddim yn iawn fan hyn ac fe ddyle fe fod yn hollol iawn . . . falle mod i'n gwneud camgymeriad mwya fy oes, ond fel 'na dwi'n teimlo. Ma'n ddrwg 'da fi.'

'Ma ofn arnat ti, fenyw, dyna i gyd. Ofn bod yn hapus, a dwi'n meddwl bod ti'n lico'r chwilio am y rhywbeth na fyddi di byth yn medru'i ffeindio . . . sy'n *fucked up* a dweud y lleia . . .'

Daeth pesychiad lletchwith o gyfeiriad y drws lle safai Cled, y glanhawr oedrannus, gyda'i fwced a'i fop. 'Chi 'di gorffen?' gofynnodd.

Edrychodd Owen arno, gwenu'n drist a throi'n ôl at Mari. 'Odyn, ni 'di gorffen.'

Roedd hyd yn oed eu ffarwél yn *cliché* ffilmig, meddyliodd Mari'n chwerw, wrth iddi wylio'i ffrind gorau'n cerdded allan o'i bywyd. Gwyddai hithau na allai barhau i weithio gyda chwmni Gwalia. Doedd hi ond yn deg mai hi ddylai adael, nid Owen. Roedd ganddi awydd ers tro i roi cynnig ar weithio dramor. Pa mor anodd fyddai gwneud cwrs dysgu Saesneg fel iaith dramor yn Tseina neu rywle cŵl felly?

Dechreuodd gyffroi trwyddi gyda'r syniad fu'n hedfan i mewn i'w phen yn achlysurol dros y blynyddoedd. Hyd yn hyn, bu'n rhy ddiog i wneud ymholiadau ynghylch dechrau bywyd newydd dramor. Roedd hi wedi gwastraffu ugain mlynedd yn chwilio am y freuddwyd ramantus, heb ystyried bod 'na bethau pwysiach mewn bywyd; pethau fel ei hapusrwydd hi ei hun.

Cydiodd yn ei bag gan wybod ei bod yn gwneud y penderfyniad iawn. Roedd ei bywyd cyfan o'i blaen hi, a gwyddai erbyn hyn nad oedd yn rhaid iddi gael dyn i'w gwneud yn gyfan. Wrth gwrs, fyddai hi ddim yn byw bywyd lleian chwaith, ond diolch i Owen, roedd hi wedi profi *epiphany*. Pan fyddai e wedi dod dros ei siom, gobeithiai y câi'r cyfle i ddiolch iddo; wedi'r cwbl, fe oedd ei ffrind gorau.

Owen

Hanner awr yn ddiweddarach

Eisteddai Owen ar y bws, yn methu credu nad oedd Mari eisiau bod gydag e. Roedd e'n amau bod ei theori ei bod hi'n rhy hoff o'r chwilio am rywbeth tu hwnt i berffeithrwydd yn taro deuddeg. Ond er hynny, doedd e ddim yn gwneud iddo deimlo ronyn yn well. Galwai yn yr offi ar y ffordd adre a phrynu potel enfawr o whisgi er mwyn rhannu'i ofidiau efo Huw.

Roedd Mari wedi cael ei chyfle, a gwnaeth ei orau i'w pherswadio; roedd ganddo ormod o falchder i bledio rhagor. Edrychodd drwy ffenest y bws ar y ddinas yn chwipio heibio, a sylwi bod merch brydferth iawn newydd ddod i eistedd gyferbyn â'i sedd. Blonden dal a siapus, nid annhebyg i Claudia Schiffer ifanc. Gwenodd Owen arni'n boléit, a gwenodd hithau arno'n wresog. Yffach gols! Roedd hi'n ryfeddol o hardd. Ond roedd wedi cael digon ar ferched am y tro, felly trodd i edrych ar ei ffôn symudol yn reddfol.

Anfonodd decst at Huw: *Dwedodd hi – Na. Sesh heno?*

Arafodd y bws, a chododd ef a'r 'Claudia' ifanc gyferbyn ar eu traed ar yr un pryd. Gyda symudiad sydyn y bws yn arafu, collodd 'Claudia' ei gafael ar y rheilen a syrthiodd yn drwm yn erbyn Owen nes i'r ddau ohonynt lanio ar y llawr stecslyd, yn domen o freichiau a choesau.

'O, ma'n ddrwg da fi!' anadlodd 'Claudia' wedi colli'i gwynt, ei gwefusau bron yn cyffwrdd â gwefusau Owen.

Cododd Owen a sythu'i grys. Cynigiodd ei law iddi a'i helpu ar ei thraed.

'Dim problem. Chi'n iawn?'

Gwenodd arni a phlygu i gasglu'r geriach oedd wedi syrthio allan o'i bag llaw. Wedi casglu'r pethau, sylwodd Owen fod ei ffôn symudol e wedi torri.

'O, eich ffôn chi! Sori. Fe bryna i un newydd i chi!'

'Mae'n iawn, ma insiwrans 'da fi.'

'Gobeithio bod chi ddim yn meddwl mod i'n bod yn eofn . . . ga i brynu diod i chi rywbryd i ddweud sori?'

Gwenodd y ferch yn obeithiol arno. Oedd hi'n ei ofyn e allan? Methodd Owen ddeall i ddechrau. Dechreuodd ei siom am Mari leddfu ychydig. Myn yffach i! Roedd e'n ôl yn y gêm.

'Dwi'n rhydd nawr os y'ch chi?'

Nodiodd 'Claudia' ei phen yn hapus a chamodd y ddau oddi ar y bws gyda'i gilydd.

Y Diwedd – tybed?